es 1086

edition suhrkamp

Neue Folge Band 86

Klee, der Geisterklopfer, Picasso, der Midas, Cézanne, der Atlas einer neuen Kunst: so lauten die Trivialfassungen einer Mythologie, deren Höhenflug vom großen Einzelnen, von der Veränderung der Welt durch innere Schöpfung oder von dem kündet, was als Sinnbild unauflösbar bleibt. Dabei kommt ein wesentliches Problem zum Fortfall. Sartre hat einmal die Malerei, im Gegensatz zur Literatur, eine nichtbedeutende Kunst genannt, was im Prinzip zutreffen mag; nur haben Tintoretto, Sartres Beispiel, Goya oder Courbet gegen dieses Prinzip in einem fort verstoßen. Sie taten es mit definierten Gegenständen, die bereits in den Anfängen der modernen Kunst, um einer neuen Beherrschung der Bildelemente willen, verblaßten. Doch auch diese neue Beherrschung entging nicht den Fragen nach der Bedeutungsfähigkeit der Malerei. Handelte es sich tatsächlich um Lessings stumme Kunst? Oder hatte, namentlich während der Probierzeit, sich diese Kunst nicht mitunter selber der Sprache beraubt? Und wenn sie wieder erlernt werden mußte: welche Widersprüche und Unstimmigkeiten tauchten dabei auf? Mit den Fragen ist der plot des Buchs umrissen: es handelt vom Antagonismus zwischen Formbestimmung und Realitätsbestimmung, zwischen der Bedeutungsfähigkeit und der Eigenständigkeit der bildnerischen Mittel, wobei die konkrete Zeit und die gesellschaftliche Dinglichkeit den Antagonismus sowie die jeweilige Verlagerung seiner Gewichte bestimmen.

Hans Platschek lebte in Südamerika, Rom und London. Heute wohnt er in Hamburg. Sowohl als Ausübender als auch als Betrachter ist er in engem Kontakt mit der modernen Malerei.

Hans Platschek
Porträts mit Rahmen
Picasso, Magritte, Grosz, Klee,
Dalí und andere

Suhrkamp

edition suhrkamp 1086
Neue Folge Band 86
Erste Auflage 1981
© Suhrkamp Verlag Frankfurt am Main 1981
Erstausgabe
Satz: Fotosatz Hümmer, Waldbüttelbrunn
Druck: Nomos Verlagsgesellschaft, Baden-Baden
Umschlagentwurf Willy Fleckhaus
Printed in Germany

Inhalt

Vorbemerkung

»Wer sich in einer Streitfrage auf die Autorität beruft, gebraucht nicht die Vernunft, sondern das Gedächtnis.« Dieser Satz, von Leonardo da Vinci in eines seiner philosophischen Tagebücher eingetragen, ist viel zu frappierend, als daß man seinem Inhalt folgt und ihn zu zitieren unterläßt. Nicht zufällig stammt er von einem bildenden Künstler, denn die Paarung von Autorität und Gedächtnis, der sich die Vernunft, man könnte auch sagen: die Beobachtung, entgegenstellt, ist seit Jahr und Tag das Dilemma gewesen, das Bilder und Plastiken behelligt hat, zugunsten von mental sets, von Setzungen im Kopf, wie es im Magritteaufsatz heißt: das Gedächtnis machte sich von dem frei, was es aufbewahren sollte. Obendrein ist die Erinnerung an Cézannes Mont Sainte-Victoire etwas anderes als das gemalte Bild. Folglich standen nicht mehr die sichtbaren oder die einsehbaren Kunstwerke zur Rede, zur Rede stand die Rede, das in Wörter gefaßte Gedächtnis, das Namensgebungen, Auslegungen und imaginäre Fingerzeige entließ. Mittelsleute, sie konnten Vasari heißen, De Piles oder André Breton, haben sich, als wäre das der gegebene Standort, vor die Bilder gestellt. Was Bilder kenntlich machen ist nun einmal etwas anderes als die Sprache der aufs Gedächtnis angewiesenen Wörter: die aber schleppt, sobald sie sich mit Bildern befaßt, eine den Bildern unangemessene Nötigung mit.

Davon ist die moderne Kunst nicht verschont worden. Klee, der Geisterklopfer, Picasso, der Midas, Cézanne, der Atlas einer neuen Kunst: so lauten die Trivialfassungen einer Mythologie, deren Höhenflug vom großen Einzelnen, von der Veränderung der Welt durch innere Schöpfung oder von dem kündet, was als Sinnbild unauflösbar bleibt. Dabei kommt ein wesentliches Problem zum Fortfall. Sartre hat einmal die Malerei, im Gegensatz zur Literatur, eine nichtbedeutende Kunst genannt, was im Prinzip zutreffen mag; nur haben Tintoretto, Sartres Beispiel, Goya oder Courbet gegen dieses Prinzip in einem fort verstoßen. Sie taten es mit definierten Gegenständen, die bereits in den Anfängen der modernen Kunst, um einer neuen Beherrschung der Bildelemente willen, verblaßten. Doch auch diese neue Beherrschung entging nicht den Fragen nach der Bedeutungsfähigkeit der Malerei. Handelte es sich tatsächlich um Lessings stumme Kunst? Oder hatte, namentlich während der Probierzeit, sich diese Kunst nicht mitunter selber der Sprache beraubt? Und wenn sie wieder erlernt werden mußte: welche Widersprüche und Unstimmigkeiten tauchten dabei auf? Mit den Fragen ist der plot des Buchs umrissen: es handelt vom Antagonismus zwischen Formbestimmung und Realitätsbestimmung, zwischen der Bedeutungsfähigkeit und der Eigenständigkeit der bildnerischen Mittel, wobei die konkrete Zeit und die gesellschaftliche Dinglichkeit den Antagonismus sowie die jeweilige Verlagerung seiner Gewichte bestimmen.

Heute geschieht es, daß entweder die Sprachlosigkeit als Merite gefeiert oder ein Bild auf die falsche Weise zum Sprechen gebracht wird. Natürlich mußte ein Dalí auf Kandinsky folgen und, in seiner Gefolgschaft, ein Lichtenstein, der im Buch eine Schurkenrolle spielt, auftreten. Ihnen wie Whistler ist es gemeinsam, daß sie, den buchstäblich guten Preisen Rechnung tragend, im umschriebenen Sinn die Malerei unter Preis losschlugen. Es stimmt schon, aus Klee, Picasso und neuerdings aus Magritte hat man Gedächtnisautoritäten gemacht, deren Kult die Autorität der Mittelsleute, heute sagt man besser: der Zirkulationsagenten, bestätigen soll. Wenn aber, wie es nicht zu leugnen ist, Dalí und Lichtenstein dagegen angingen, so zielte das in die verkehrte Richtung: Kunst, die den ganzen Weg entgegenkommt, ist angesichts einer bürgerlichen Klientel, der, auch wenn sie sich als Herr Ludwig tarnt, Kunst nicht geheuer ist, eine Subordination. Das gleiche gilt für die Verlängerung einer sprachlosen Kunst: indem sie das Nichtbedeutende auf die Spitze treibt, überläßt sie der Klientel die Verfügung über Sinn und Zweck.

Weder sind die hier versammelten Aufsätze in der Reihenfolge ihres Entstehens noch nach der Chronologie der Kunstgeschichte angeordnet worden. Sie folgen vielmehr einer Komplementarität, die sich aus den Arbeits- und Denkweisen der einzelnen Künstler ergibt. Ein Aufsatz, der über Grandville und Posada, macht in ein und demselben Text diese Komplementarität deutlich. Auch sind die Rahmen bald schmaler, bald breiter gefaßt: weder sollen sie die Malerei mit Soziologismen einengen noch mit kunstgeschichtlichen Zuleitungen überbieten. In keiner Weise kann das Buch, selbst dort, wo es die Vernunft probiert, die Anschauung der Originale ersetzen. Diese Binsenweisheit ist derzeit nicht unbedingt geläufig. Mehr als Zitate also sollen die beigegebenen Abbildungen nicht sein. Der Lesbarkeit wegen sind die Fußnoten auf ein Minimum reduziert.

April 1981

Ein Herkules ohne Aufgaben

1. Balls Dandy

»Den Rock des Dandyisten und des Dadaisten tragen, jenen nämlich, den Karl von Orléans trug, auf dessen Ärmel
die Verse eines Liedes gestickt waren, das anfing: Madame, je suis tout joyeux.«[1] Der Satz klingt rätselhaft. Klarer wird er auch dann nicht, wenn man erfährt, daß ihn
Hugo Ball am 30. März 1917 in sein Tagebuch eingetragen
hat. Das Datum und die Namensnennung können immerhin zu einem Lokaltermin beitragen: 1917 ist das Jahr, da
der Dadaismus nach den Skandalen im Cabaret Voltaire zu
einiger Reputation in Zürich und, dank der umherge-
schickten Drucksachen, in den Literatencafés westlicher
Großstädte kam. Hugo Ball wiederum, einer der Protago-
nisten Dadas, war ein ebenso kluger wie verworren den-
kender Autor, ein lebendes Paradox, wenn man so will,
darin gleichermaßen Unterscheidungsvermögen, Fas-
sungslosigkeit und Inbrunst zum Ausdruck kamen.
Trotzdem sind auch diese Hinweise mager. Denn was hat
ausgerechnet der Dadaist, der, den Mund voll nehmend,
seinen Zuhörern auf die Nerven fallen wollte, mit einem
Dandy wie dem legendären George Bryan Brummell zu
tun, mit seiner Devise zumal, man solle bleiben, bis man
gefallen habe, sich aber gleich nach dem Erfolg zurückziehen? Wie geht Dadas Protest gegen Waffengewalt und
Chauvinismus im dritten Jahr des Ersten Weltkriegs mit
der Indolenz zusammen, an der Brummell bis zur Selbst-
vernichtung festhielt? Es ist wahr, eines hatte das von Ball
förmlich im Collageverfahren kombinierte Personal gemeinsam: seine Verachtung des Banausen, des vom Mer-

kantilismus nicht zu heilenden Bildungsbürgers, des »stämmigen Schwärmers«, wie Ball ihn nannte.

Ein paar zusätzliche Aufschlüsse liefert das Tagebuch, sofern man sich die Mühe macht, aus den Eintragungen jene zusammenzusuchen, die sporadisch, aber mit einer merkwürdigen Beharrlichkeit auf den Dandy zurückkommen. So heißt es am 23. Mai 1917 in Frageform, ob der Dadaismus nicht ein Maskenbild, ein Gelächter und damit eine Synthese der romantischen, dämonischen und dandyistischen Theorien des 19. Jahrhunderts sei. Vorher, am 5. November 1915, befaßt sich Ball eingehend mit Baudelaire, Brummell und Barbey d'Aurevilly, was ihn zur Notiz veranlaßt, der Dandy müsse danach trachten, tagtäglich der größte Mensch zu sein.[2] Am 17. April 1916 heißt es, der Dandyismus sei eine Schule der Paradoxie. Am 15. November 1917 meint Ball, bereits in Distanz zu seinen Dada-Gefährten, im Dandy-Typ lebe etwas von der städtischen Eleganz und der Überlegenheit der Humanisten fort. Indirekte Aussagen, die zudem belegen können, in welchem Maß sich Ball mit dieser Figur beschäftigt hat, gibt es zuhauf. Im Grunde aber verraten sie, nicht anders als die direkten, Unsicherheit oder sie geben Gemeinplätze wieder. Warum der Frohsinn eines Karl von Orléans für Dada und den Dandy gelten soll, bleibt nach wie vor im Dunkel, es sei denn, man lenkt seine Aufmerksamkeit auf Balls Zaudern, auf die Tatsache zumal, daß seine Ideen, den Dandyismus betreffend, angelesen sind. Allein, Ball nimmt den Dandy nicht zufällig als Vorbild, wenn nicht gar als eine auch für Alltagsdinge zuständige Bezugsperson in Anspruch. Sobald man die Eintragungen in ihrer ganzen Widersprüchlichkeit, ja in ihrer Unbeholfenheit aneinanderreiht, kommt man darauf, daß sein Verhältnis zu dieser Bezugsperson nicht ungestört gewesen ist. Das Tagebuch hebt es am 10. April 1917, abermals in Frageform, hervor: »Wie kann man den Ästheten mit dem Moralisten in Einklang bringen?«

2. Der legendäre Charakter

Baudelaire, der in den Eintragungen als Gewährsmann auftaucht, wäre diese Frage nie eingefallen. Für ihn war der Ästhet, sobald er konsequent Ästhet blieb, ein Moralist, ein Symbol, wie er sagte, für die »aristokratische Überlegenheit des Geistes«. Wohlverstanden: Baudelaire spricht nicht allgemein vom Ästheten, er spricht präzis vom Dandy, der, wie es kurz zuvor heißt, nicht nach dem Geld als einer Sache von »wesentlichem« Gehalt strebt. In *Mon Coeur mis à nu* kommt es deutlicher zur Sprache: »Der Handel ist seinem Wesen nach satanisch. Der Handel ist: gib mehr als ich dir gebe. Jedes Händlers Geist ist vollkommen verlastert. Der Handel ist natürlich, also ist er infam.«[3] Dazu muß man wissen, daß Baudelaire »natürlich« in einem fort als Schimpfwort gebrauchte, und es ist keine mit dem Eisenlineal gezogene Parallele, wenn man darauf hinweist, daß auch Marx »natürlich« in bestimmten Zusammenhängen abfällig gemeint hat. Hier jedenfalls sind der egoistische Mensch als natürlicher Mensch, wie Marx es nannte, und Baudelaires Händler identisch. Im Frankreich des abermals von Marx als hergelaufenen Glücksritter oder als Dieb in der Nacht apostrophierten Louis Napoleon konnte man ohnehin dem verlasterten Naturgeschöpf, Zolas Aristides Saccard, auf Schritt und Tritt begegnen. Damit allerdings hat die Parallele ein Ende. Denn Baudelaires Widerwille gegen das Zweite Kaiserreich bringt es lediglich zu einer Umkehrung: wenn der Mammonsdiener satanisch ist, beweist ein jeder, der sich zu diesem Dienst nicht bereitfindet, moralische Integrität;

ein Beweis, der obendrein durch Müßiggang, durch stoffliche Eleganz, durch Kälte oder was immer Baudelaire zugunsten des Dandy aufzählt, erbracht wird.

Ergiebig ist Baudelaires Dandyporträt schon deshalb, weil der geschichtliche Hintergrund stets durch die demonstrative Überspanntheit schlägt. Eher als den Raffiné, den er feiert, bekommt man zwischen den Zeilen zu spüren, wen er verachtet. Der ganze Text ist, wie es Edmund Wilson von einem anderen, ähnlichen sagte, ebenso snobistisch wie defensiv, wobei das eine das andere bestimmt. Vor allem aber zeigt Baudelaire, daß ihm sein Thema nicht fremd ist: er behandelt es dandyhaft, soweit, daß er gleich zu Beginn feststellt, der Dandyismus sei eine nicht ausdeutbare Erscheinung, »ebenso wunderlich wie das Duell«, und darauf mit einem Wechselspiel von Erklärungen und Gegenerklärungen fortfährt: »Der Dandyismus ist eine Erscheinung außerhalb der Gesetze, hat aber selbst die strengsten Gesetze.«[4] Oder: »Begeht ein Dandy ein Verbrechen, so würde das vielleicht nichts ausmachen, hätte er es aber aus irgendeinem alltäglichen Grund begangen, so verfällt er auf ewig der Schande.«[5] Die Beispiele lassen sich reihen. Allesamt illustrieren sie eine Ansicht, die Baudelaire abermals eher umschreibt als formuliert: Müßiggang und Eleganz sind eine Sache, eine andere, die den Dandy erst zum Dandy macht, ist die Distinktion, genauer noch: der Selbstkult, den Baudelaire prompt Originalität heißt. Zwar mag es scheinen, als trage der Dandy nichts als Blasiertheit zur Schau, dahinter aber verbergen sich »Spiritualismus« und »Stoizismus«, Esprit, wie man es besser nennen sollte, und Unerschütterlichkeit. Auch pflegt er die Renitenz und die Auflehnung, und hier fallen die bemerkenswerten Sätze: »Der Dandyismus erscheint hauptsächlich in Übergangsepochen, wenn die Demokratie noch nicht allmächtig ist und die Aristokratie noch nicht gänzlich abgewirtschaftet hat.«[6] Und weiter: »Der Dandyismus ist das letzte Aufleuchten des Heroismus in Zeiten des Verfalls.«[7] Wie aber äußert sich dieser Heroismus? Als Antwort fallen Stichwörter wie Stil oder Schönheitscharakter, der wie Kälte aussieht, aber aus dem festen Entschluß stammt, durch nichts erregt zu werden. Die Abweisung trägt autobiographische Züge. Baudelaire hat sich, sei es, weil es zum Dandy gehörte, sei es, weil er sich die Umwelt vom Leibe halten wollte, bald als Spion, bald als Päderast, bald als Opiumesser, bald als Hurenbold ausgegeben. Er soll auch mit grüngefärbten Haaren umhergegangen sein. Biographen haben sich über Jahrzehnte hinweg geplagt, für die eine oder die andere Behauptung den Wahrheitsbeweis zu liefern oder sie als Märchen zu entlarven. Baudelaire macht weniger Umstände: er spricht vom legendären Charakter des Dandy.

3. Das lebende Kunstwerk

1845 hatte Jules Amédée Barbey d'Aurevilly seine Brummell-Biographie veröffentlicht, die, darüber hinaus, eine Studie über das Dandytum war. Auch bei Barbey geht es nicht ohne Umwege voran, ohne die Technik also, sich selber ins Wort zu fallen. Das Biographische tritt hinter einer Mythologie zurück, die ständig Kritik an den eigenen Umständen mit sich trägt. Brummells Aufstieg vom Enkel eines Zuckerbäckers zum Freund des Prince of Wales und zum Modehelden der Londoner Gesellschaft sowie sein Abgang, nachdem er sein Vermögen verspielt hatte, ins Exil sind nur der Vorwand für eine Abhandlung über die Eitelkeit, in deren Verlauf Barbey offenläßt, wer eitler war, Brummell oder diejenigen, die ihn zum Idol erhoben. Und warum Brummell? Auch hier setzt das Spiel von Erklärung und Gegenerklärung ein. Brummell gab in Modefragen den Ton an, Brummell war schlagfertig und arrogant; trotzdem kann man ihn keinen Lebemann nennen, denn er erhöhte, wie Barbey schreibt, seine Triumphe dadurch, daß er als Sieger Verachtung zur Schau trug. Kleidung bedeutete ihm alles, und auch das begleitet Barbey mit einem geradezu Baudelaireschen Satz: »Auf diese Weise gelangte er auf den Gipfel der Kunst, wo sie wieder Natur wird.«[8] Mehr noch: was Baudelaire nur mit Andeutungen und mit Synonymen sagte, sagt Barbey mit Betonung: »Er war in seiner Weise ein großer Künstler, nur war seine Kunst nicht auf ein bestimmtes Fach beschränkt. Sie war sein Leben selbst, das beständige Flimmern der Fähigkeiten. Er gefiel durch seine Person, wie andere durch ihre Werke gefallen.«[9]

Daß Hugo Ball mit einer solchen Figur nicht zurechtkam, kann kaum wundernehmen. Er war ein redlicher Mensch: wenn er Moralist sagte, so fragte er nach den Sittengesetzen, denen das artistische Leben eines Brummell unterworfen gewesen war. Baudelaires oder Barbeys Entgegnung liegt auf der Hand: es gäbe keine derartigen Gesetze, keine zumindest, die nicht Brummell in Person erließ. Falls Ball daraufhin von Amoral gesprochen hätte, wäre ihm unweigerlich die Antwort zuteil geworden, er möge sie beim satanischen Händler suchen, und finden würde er sie dort auch. Es bedarf keiner großen Vorstellungskraft, um sich auszumalen, wie nunmehr Ball nach Worten ringt. Dabei war er nicht einmal im Unrecht. Fiktion nämlich und Realität sind in der Dandyfigur auf eine Weise verknüpft, die gerade dem Moralisten die Übersicht rauben soll. Als Barbey sein Buch veröffentlichte, wurden prompt Stimmen laut, die meinten, es gäbe gar keinen Brummell und es habe ihn nie gegeben, es handele sich vielmehr um eine Romanfigur. Im Fall von Baudelaire ist das mehr als üble Nachrede gewesen. Denn was er beschrieb, war keinesfalls ein realer Dandy, es waren jene Zeichnungen von Constantin Guys, die den Dandy darstellten. Sein Dandy ist folglich nicht einmal der zwischen zwei Buchdeckeln denaturierte Brummell, er ist die Darstellung einer Darstellung. Ein weniger gutgläubiger Mensch als Ball wäre vermutlich darauf gekommen, daß es sich beim Dandy um einen umgekehrten Peter Schlemihl gehandelt hat: der Körper ist verschwunden und der Schatten übriggeblieben.

4. Stellproben

So Unrecht hatte Ball schon deshalb nicht, weil mit einer Darstellung der Körper nicht so ohne weiteres zu eskamotieren ist. Brummell hat nachweislich gelebt, und Baudelaire ist wiederholt als Dandy aufgetreten. Übte er seine Auftritte vor dem Spiegel? Ist seine oder Brummells Künstlichkeit angelernt gewesen? Obendrein hatten, wie es in Baudelaires Briefen nachzulesen ist, solche Stellproben ihren Preis. Dem legendären Charakter haftete etwas von einem Kraftakt an, und falls man dessen realen Voraussetzungen nachgehen will, ist es mit einer Spielfigur, auch wenn Brummell mehr als eine solche gewesen sein mag, nicht getan. Besser, man hält sich, ohne Baudelaires Metadarstellung und ohne Barbeys Dazwischentreten, an ein leibhaftiges Modell, an einen Kunstmaler nämlich, dessen Ruhm einmal über zwei Kontinente reichte. Sein Name ist James McNeill Whistler.

In seinem Fall liegt ein umfängliches Material in Gestalt von kunsthistorischen Arbeiten, Werbeprosa in Bildbänden oder gewöhnlichen Biographien vor. Außerdem sind seine Schriften, der berühmte Zehn-Uhr-Vortrag zum Beispiel, im Druck erschienen. Dieses Material wäre jedoch ohne den Prospekt unbrauchbar, den die Dandyporträts von Baudelaire und Barbey, ja selbst die Unbeholfenheiten Hugo Balls ergeben. Whistlers Ruhm ist noch heute eher auf sein exzentrisches Verhalten als auf seine Malerei zurückzuführen, ein Schicksal, das die Werbeprosa beklagt, die Biographien jedoch begrüßen. Der Streit um den Rang seiner Bilder ist allerdings nur ein Nebenpunkt. Es stimmt schon, Manet hat konsequenter gemalt, Monet entschlossener und Fatin-Latour, ein Salonimpressionist und Whistlers Freund, entschieden schlechter. Andrerseits ließe sich, wenn nötig, ins Feld führen, daß Whistler einiges vom Jugendstil vorweggenommen hat. Von Belang aber bleibt, daß er überhaupt malte und damit aus der Rolle des lebenden Kunstwerks sprang. Seinem Dandytum fehlte es, im Sinn Baudelaires und Barbeys, an Strenge: Whistler hat mit seiner Malerei Belege aus der Hand gegeben, so daß sich die Frage, ob sein Dandytum zum Erfolg der Bilder oder die Bilder zu seiner Autorität als Dandy beigetragen haben, geradezu aufdrängt. Dabei zählt, nochmals, nicht der Kunstcharakter dieser Malerei, es zählt ihre Eigenschaft als Probe aufs legendäre Exempel. Denn Whistler war bereits zu Lebzeiten eine Legende: nicht von ungefähr hat Proust in der *Recherche* mit Einfühlungsvermögen über ihn geschrieben, und das Carlyle-Porträt soll sogar für die Figur des Elstir als Vorlage gedient haben. Oder ist es Whistler selbst gewesen, der Elstir seine Züge lieh? Hier hat Giulio Carlo Argan schon vor Jahren darauf hingewiesen, daß Proust, wenn man genau liest, nicht Whistler allein, sondern ebenso dessen Widersacher Ruskin im Auge hatte.[10]

Die Biographien enthalten zwei erwähnenswerte Ereignisse. Whistler war Amerikaner, 1834 als Sohn eines Bauingenieurs geboren und Kadett, wie er zu erzählen pflegte, der Militärakademie in West Point. Er verließ, gerade volljährig, Amerika und siedelte, wie Henry James und später eine Anzahl von Künstlern und Literaten, nach Europa über, nach Paris. Diese freiwillige Expatriierung im Namen der Kultur hätte auch eine freiwillige Deklassierung bedeuten können: die Wohlanständigkeit der amerikanischen Ostküste verfängt nicht im Pariser Bohèmeleben. Nur trifft das Wort Bohème weder für Proust noch für Manet oder Mallarmé, auch sie Whistlers Freunde, zu. Es stimmt schon, der Ausländer übernahm sofort die Rolle des Außenseiters, indem er die herrschenden Kunstkonventionen überging. Anstatt sich mit Salonmalerei abzugeben, trat er an die Seite der gerade aufkommenden Impressionisten, wie er sich gleichermaßen die Ideen der literarischen Avantgarde zu eigen machte. Eines seiner Bilder, »Symphonie in Weiß«, war 1863 neben Bildern von Manet, Monet, Renoir und Cézanne im Salon des Refusés zu sehen. Das Bild zeigt stehend ein weißgekleidetes Mädchen mit einer Blume in der Hand und einem Wolfsfell zu Füßen. Schon diese kurze Angabe macht deutlich, daß sich Whistlers Außenseitertum in Grenzen hielt. Von Manet hat er nur die Hälfte mitbekommen: zwar ist jeder Gegenstand malerisch übersetzt, die Figur selbst aber erstarrt in einer sentimentalen Pose.[11] In anderen Bildern aus jenen Jahren wird die Sentimentalität weniger offenkundig, doch auch in den gelungensten, die Manets Fähigkeit zur Schau tragen, mit einem Schwarz oder einer stofflichen Definition die Szene zu beleben, kommt immer wieder der Hang an den Tag, die Malerei und, vor allem, die Realität zugunsten einer zwar zurückgenommenen, trotzdem aber unübersehbaren Theatralik im Wortsinn kaltzustellen. Die Pose ist das zentrale Motiv: die Pose der Modelle und die des Malers.

In einem überaus wohlwollenden Buch schreibt der Kunsthistoriker Denys Sutton, des Künstlers Spürsinn für alles Moderne sei unfehlbar gewesen. Das mag mit einer Einschränkung zutreffen. Whistler versteht die Modernität vom anderen Ende her, nicht als Produzierender, sondern als ein freilich sehr aufgeschlossener Kunstkenner, als Abnehmer, genaugenommen, auch wenn er selber imstande war, professionelle Bilder zu malen. Nur muß man die Unterscheidung treffen, welchen Gesichtspunkten diese Professionalität folgt, denn daß es eine Professionalität auch innerhalb der Rezeption und der Zirkulation gibt, steht außer Frage. Sie holt Whistler mit Bildern ein, die über die Thematik hinaus einen passiven Eindruck vermitteln: der Maler Whistler ist sein eigener Connaisseur. Baudelaires witziges Wort, der Dandy sei ein Herkules ohne Aufgaben, findet dort seine Illustration, wo Whistler, anders als Manet oder gar Cézanne, dem Kräftespiel zwischen dem realen und dem bildnerischen Motiv ausweicht und beide, wie man heute sagen würde, einem *styling* unterzieht, was nichts anderes heißt, als daß in den Bildern jeweils eine konventionelle Sehweise von einer auf den ersten Blick kühnen, auf den zweiten aber ebenso konventionellen Malweise begleitet wird. Die berühmtesten dieser Bilder heißen, entsprechend, »Arrangements«.

Der zweite Angelpunkt in Whistlers Biographie ist die Übersiedlung nach London. Man kann sie ohne weiteres einen Rückzug nennen. Sutton schreibt, daß Whistler leicht ein vollgültiges Mitglied der Pariser Schule hätte werden können: trotzdem entschied er sich für London, weil er, so Sutton, festgestellt hatte, daß ihm England eher Erfolgschancen bieten würde als Frankreich, wo »der Wettbewerb um so vieles härter war«.[12] Die ganze Wahrheit ist das nicht. Whistler hat, im Gegensatz zu Ball, den legendären Charakter, die literarische Fiktion also, die den Dandy kennzeichnet, begriffen. Er muß, schon weil er den Dandyismus nicht, wie Ball, im nachhinein, sondern aus der Nähe beurteilen konnte, die minimale Verschiebung bemerkt haben, die in Baudelaires Satz, der Dandy sei ein Geschöpf der Übergangszeiten, steckt. Er konnte den 1863 erschienenen Text nicht gekannt haben, die Zustände in Frankreich jedoch dürften ihm nicht entgangen sein. Denn 1859, als Whistler nach London zog, konnte von einer Übergangsperiode, so wie Baudelaire es meinte, von einer noch nicht allmächtigen Demokratie, keine Rede sein, vorausgesetzt, man sagt statt Demokratie, so wie es sich gehört, Bourgeoisie und stellt sich damit auf die Klassenbestimmung um. Nur um sie anzufechten, hält Baudelaire dieser Bourgeoisie eine Aristokratie entgegen, die seinen Worten nach noch nicht, in Wahrheit aber seit einiger Zeit schon abgewirtschaftet hat.

In England sah es anders aus, auch wenn eine Übergangsperiode ebensowenig zur Debatte stand. Genauer: der Übergang war auf eine formalisierte Weise zum Normalzustand geworden. Es gehört zu den Eigenheiten des britischen Adels, daß allein das Familienoberhaupt den Titel führen darf, während die übrigen Mitglieder titellos, sogar unter der Knightswürde dahinleben. Das führt zu einer Osmose mit dem Großbürgertum, durch Heirat, durch Finanzinteressen, durch wechselseitige Repräsentation. Umgekehrt steht dem Großbürger nichts im Wege, für Meriten geadelt zu werden. Auf diese Weise hat die Gemeinschaft von Adel und Kapital den ersteren vor dem Verfall bewahrt, den Baudelaire in Frankreich ebenso beklagte, wie er ihn, auf dem Papier, verzögern wollte. Auch ist dieser Adel das Vorbild für die Sitten und Gebräuche der upper class geblieben. Folglich hat der Dandyismus hier sein Naturschutzgebiet, zumal man gerade in England auf den Unterschied zwischen dem Snob, dem Emporkömmling, und dem Dandy achtet.

Whistlers Londoner Erfolg hat ihm Weltruhm eingebracht. Ein Erfolg des Dandyismus ist er nur zum Teil. Weil Whistler auf die britische Aristokratie setzte, verkörperte er auch deren Ambivalenz. Sein Dandyismus sollte eine durchaus nicht mittellose Aristokratie beeindrucken, nur waren ihre Mittel derart mit dem Finanzkapital verflochten, daß Whistler auch dort gefallen mußte, wo ein Dandy seine Zeit verschwendete. Die große Geldgier, sagt Baudelaire, überläßt der Dandy dem Pöbel: aber wer hier war Pöbel und wer ein Edelmann? Wie läßt sich säuberlich auseinanderhalten, wo der Edelmann aufhörte und der satanische Händler begann? Und falls der Dandyismus tatsächlich eine Moral enthält, die sich in einer Ästhetik gleichermaßen aufhebt und verbirgt: wie soll man den Ästheten mit dem Moralisten in Einklang bringen? Hugo Balls Frage hat, auf eine andere Weise allerdings, auch Whistler zu schaffen gemacht.

Einmal spricht Sutton von Whistlers Selbstkritik, ein andermal von seinem kultivierten Eklektizismus. Ein Widerspruch braucht das nicht zu sein. Man muß sich abermals vor Augen halten, daß er ein Maler der Wirkungen gewesen ist, genauer noch: daß seine Schwierigkeit in der Einsicht lag, an der Staffelei nicht nur für sich, sondern als tastemaker für andere zu stehen, deren soziales Gewicht nicht immer eindeutig in Erscheinung trat, deren Geschmack er aber auf jeden Fall prägen wollte. Um ihn aber zu prägen, mußte er ihn, anders als Baudelaire, teilen. Die Ambivalenz seiner Klientel überträgt sich auf seine Bilder, die hier die Pose und dort den Eklektizismus zum Thema erheben. Sutton sagt sogar, daß Whistler einen Trick finden wollte, der die Persönlichkeit des Modells enthüllte und gleichzeitig das Modell als Vorwand für eine Harmonie, eine Sinfonie oder eben ein Arrangement benutzte.[13] In Wirklichkeit ging es darum, die sozialen Zweideutigkeiten in ein ästhetisches System zu fassen. Whistler bringt es dadurch fertig, daß er in einem fort Sache und Wirkung, Modell und Aufmachung, Realität und malerische Analogie vertauscht. In jedem Bild trifft er Anstalten, die Produktion als Rezeption auszuweisen, um gleich darauf den Ausweis umzukehren: Rezeption kann auch Produktion sein. Damit wird er zum Vorläufer eines Kunstbegriffs, der sechzig, siebzig Jahre nach seinem Tod zu Ehren kommt. Im Schatten, den Whistler vorauswarf, steht Andy Warhol noch heute.

6. Die Hütte und der Fürst

Im berühmten Porträt seiner Mutter ist die Pose nicht allein auf eine Vornehmheit angelegt, die sich als Anlage erkennen läßt: eher als um ein Porträt handelt es sich um das, was der Bildtitel nennt, wieder um ein Arrangement also, diesmal in Grau und Schwarz. Das Grau an der Wand spielt ins Kalte und das Grau des Fußbodens so verhalten ins Warme, daß hier kein Kontrast entsteht. Damit aber erhält im Kleid das Schwarz, für Manet stets ein Signal, bei Whistler den Charakter einer Fläche, die nur neutral wirkt: sie geht in den Hintergrund über. Gleichzeitig springt auf eine fraglos kalkulierte Weise ein vornehmer Stich im viereckigen Rahmen förmlich vor die Figur. Whistler selbst bestätigt die Wirkung: »Man nehme das Bild meiner Mutter, das in der Royal Academy als Arran-

gement in Grau und Schwarz ausgestellt worden ist. Mehr soll es nicht sein. Für mich ist es bedeutungsvoll als das Porträt meiner Mutter; aber was geht das Publikum die Identität des Bildnisses an?«[14] Julius Meier-Graefe, der 1934 eine kurze Erinnerung an Whistler veröffentlicht hat, gibt eine andere Auskunft: »Auf meine Frage, ob er die Mutter in dem berühmten Porträt, das damals ins Musée du Luxembourg kam, getroffen habe, antwortete er: ›Ungefähr, nur war sie bedeutend dicker. Sie werden verstehen, ich habe Mamachen so gemalt, wie man sich die Mutter Whistlers vorstellt. L'Art pour l'art.‹«[15]

Mit Cousins oder Gautiers Formel hatte dieses, von Whistler stets im Mund geführte l'art pour l'art nichts mehr zu tun. Was einst den satanischen Händler abschrecken und von der Kunst abhalten sollte, als Ritual nicht nur ihrer Herstellung, sondern auch ihrer Aneignung, kehrt Whistler ins Gegenteil. Kein Strich, so heißt es bei Meier-Graefe, kam auf die Leinwand, der nicht von der Berechnung einer Wirkung auf eine bestimmte Klasse Klienten geführt war. Und Balls Eintragung, der Dandy müsse danach trachten, im Baudelaireschen Sinn tagtäglich der größte Mensch zu sein, faßt Meier-Graefe rund zwanzig Jahre später in die Worte: »Der geborene Manager, der erste Amerikaner, der das ›best of the world‹ aufbrachte und mit einer Geschicklichkeit und Unverfrorenheit durchführte, an die keiner der großen Reklamehelden seiner Heimat heranreichte.«[16] Allein, ein solches Urteil klingt eine Spur zu aktuell. Auf einen Pop-Maler könnte es ohne weiteres gemünzt sein, nicht aber auf jemanden, der Mallarmés Freundschaft gewonnen und Prousts Interesse erweckt hat. Meier-Graefe hat Whistlers Zwiespältigkeit übersehen und dadurch, daß er ihn als Begleiter, wenn nicht als Partner des satanischen Händlers schilderte, den er noch zu übertrumpfen weiß, eine schreckliche Vereinfachung an den Tag gefördert. Ein amerikanischer Ellbogenmensch kann nicht einmal andeutungsweise ein Dandy sein; Whistlers Dandyismus bleibt jedoch, trotz aller Halbschatten, der Beweggrund seiner Darbietungen.

Das Problem läßt sich klären, wenn man den Faden dort aufnimmt, wo Baudelaire vom legendären Charakter spricht. Der braucht nicht unbedingt als literarische Gestalt, als durchgearbeitete Fiktion in Erscheinung zu treten: schon eine Fiktion im Rohzustand, etwas, das von Mund zu Mund geht, könnte genügen, und Barbey spricht ja auch vom lebenden Kunstwerk, was, genaugenommen, ein Widerspruch in sich ist. Brummell hätte sich Hunderte von Malen als lebendes Kunstwerk empfinden können: solange niemand diese Empfindung teilte, wäre er ein Sonderling geblieben. Der Dandyismus ist weniger eine Frage der Identität als eine Frage der Selbstdarstellung, denn das Legendäre dieser Figur existiert, wie immer bei Legenden, in den Köpfen der anderen, für die exotisch zu erscheinen sich ein Brummell jede Mühe gab und notfalls auch die Identität wechselte. Whistler spielte vorab schon eine Doppelrolle. »Gelobt oder ausgepfiffen«, so schreibt einer seiner Freunde, Ralph Curtis, »hielt er stets an den hohen ästhetischen Idealen fest, ohne darüber den Blick für das Geschäftliche zu verlieren. Eine seltene Verbindung.«[17] Und wenn die ästhetischen Ideale nur eine höhere Mathematik der Verbindlichkeit wären? Wenn eine derart total gesetzte Ästhetik für ein Quidproquo herhalten mußte?

Denn Whistlers Aggressivität oder das, was Curtis die Intransigenz nannte, war nur in untergeordneter Weise artistisch gemeint. Der Zehn-Uhr-Vortrag enthält eine Anzahl von Erklärungen, die Whistler als ideologischen Voluntär ausweisen. Die Natur habe selten recht, so heißt es einmal, wer das annehme, fiele dem Aberglauben anheim. Kunst kommt von ungefähr, so heißt es ein andermal, keine Hütte ist sicher vor ihr, kein Fürst kann ihr vertrauen, und die umfassendste Intelligenz kann sie nicht erschaffen.[18] In diesen und anderen Sätzen ist das von Bedeutung, was Whistler ausläßt. Die Gegenüberstellung von Hütte und Fürst ergibt ein falsches Kontrastpaar, das die Großbourgeoisie aus dem Spiel läßt, und die Absage an die Intelligenz will obendrein den Anteil an Rationalität dieser Bourgeoisie ins Zwielicht setzen. Baudelaires Lapsus, Demokratie zu sagen, wo das Bürgertum gemeint war, und vor allem sein Wunschbild, die Übergangsperioden betreffend, werden bei Whistler zur Methode. Der wirkliche Antagonismus hätte die Hütte und das Schloß heißen müssen, mit der zusätzlichen Feststellung, daß im Schloß nicht unbedingt mehr der Fürst, sondern Zolas

Saccard oder, wirklichkeitsnäher, derselbe George Vanderbilt residiert, den Whistler als Proust-Figur gemalt hat. Saccard nämlich oder Vanderbilt verkörpern die klasseninterne Veränderung jener Jahre, da das abstrakte Finanzkapital den Warenbesitzer ablöst. Den Machtwechsel begleitet eine zunehmende, bald politische, bald ökonomistische Auflehnung in den Hütten, für die in Frankreich der Blanquismus, in England der Chartismus als Beispiel stehen. Es ist eine andere Art von Auflehnung als diejenige, die Baudelaire dem Dandy zuschrieb. Whistler übersetzt Baudelaires Renitenz in eine Pose, in eine Parodie sogar, die sich noch einmal deutlich gegen die mittlerweile ins Hintertreffen geratenen Warenbesitzer richtet, ebenso aber, perfider, gegen die Hütten, darin, nimmt man ihn beim Wort, die Zustände des griechischen Sklavenstaats einkehren müßten, auf daß die Kunst »unumschränkt« durch die »Macht der Tat, nicht durch die Wahl« zur Herrschaft käme.

7. Die Tugend der Taschendiebe

Man kann einwenden, Whistler sei harmloser gewesen und ein derartiger Befund habe etwas von einer Überinterpretation an sich. Zieht man jedoch abermals Baudelaire und seine Auffassung von Unbotmäßigkeit heran, so wird Whistlers Kasuistik evident. Baudelaires Kritik war wie jede romantische Kapitalismuskritik eine Verneinung der Gegenwart im Namen wer weiß welcher Vergangenheit. Trotz ihrer oft treffenden Pointen blieb sie konservativ. Die Modernität war ihr Glanzlicht, nicht ihre Rechtfertigung: genausogut könnte man sagen, Baudelaire, der Dandy, lag mit dem Autor Baudelaire in Widerstreit. Brecht meinte deshalb, die große Verwirrung sei nicht der

Gegenstand, sondern das Schicksal seiner Gedichte. Von Brecht stammt auch die Bemerkung, Baudelaire, das sei der Dolchstoß in den Rücken Blanquis; Blanquis Niederlage sei sein Pyrrhussieg. Das weist wieder auf den Dandy oder den Dandyisten Baudelaire hin: indem er die Demokratie mit der Bourgeoisie verwechselt, wendet er sich gegen jede Volksherrschaft. Und Brecht schließlich gibt die Antwort auf Hugo Balls Frage: »Mitunter setzt, bei gewissen Ideologen, der Typus Baudelaire seinen Anspruch auf ›moralfreie‹ Beurteilung durch. Aber er ist selbst schuld, wenn bei vernünftigen Leuten (die ihre Vernunft tatsächlich umsetzen) sein Fall als ein moralischer diskutiert wird. Er lebt nicht nur von der Unmoral, sondern auch von der Moral. Er verkauft eben Schocks. Er gibt nicht nur fanatisches Moralisieren, sondern auch fanatisches Amoralisieren.«[19]

Im Gegensatz zu Baudelaire hat Whistler eine große Verwirrung nie zu schaffen gemacht. In seinen Bildern ist sie auch nicht reproduziert. Seine Fähigkeiten als Maler trugen ihn nie über den Dandyismus hinaus, den, was nicht einmal Brecht bestreitet, Baudelaires Lyrik in ihren Höhepunkten außer Kraft setzt. Während Baudelaire, indem er die Gewinnsucht ebenso individualisierte wie dämonisierte, immerhin die bedrängte Lage des Dandy zu rechtfertigen suchte, bezog Whistler einen Standpunkt, der dort, wo die Aggressionen aussetzten, nur noch Metaphern über Kunstwerke und folglich über die eigene Existenz zuließ. Daß diese Metaphern originell gewesen sind, läßt sich beim besten Willen nicht behaupten. »Das Meisterwerk«, so lautet eine von Whistlers Kunstregeln, »sollte dem Maler wie eine Blume erscheinen – vollkommen in der Knospe wie in der Blüte – durch keine Vernunft zu erklären – ohne eine Mission zu erfüllen – dem Künstler eine Freude – eine Täuschung für den Philantropen –

dem Botaniker ein Rätsel – dem Literaten ein Anlaß für Gefühlsergießungen und Wortspielereien.«[20] Baudelaire, der gegen das Nützlichkeitsdenken ähnlich klingende Sätze geschrieben hat, setzt zwar als Kategorie die Negation gegen die bürgerlichen Wertvorstellungen, er weist ihr aber eine provozierende Bedeutung zu, weil er, wie es das Beispiel vom satanischen Händler zeigt, die herrschenden Moralbegriffe bloßstellen will. Nicht so Whistler: aus seinen Attacken und aus seinen Metaphern spricht ein Klassendünkel, wie ihn Baudelaire nicht einmal in seinen schlechtesten Tagen zum Ausdruck brachte.

Whistler hatte oft die Lacher auf seiner Seite. Vernünftige Leute jedoch sind ihm in der Regel mit Spott begegnet. So hat Chesterton nicht viel anders als Brecht an Whistlers Amoralisieren Kritik geübt. »Die Lehre des Unterschieds«, so heißt es, »den man zwischen Kunst und Unmoral macht, verdankt ihr Dasein meist dem Umstand, daß Kunst und Moral in der Person und Leistung der größten Kunstvertreter so hoffnungslos verwoben sind. Whistler ist ein eklatantes Beispiel dafür. Keiner lehrte die Unpersönlichkeit so gut wie er. Keiner lehrte sie auf so persönliche Art. Für ihn hatten Bilder mit dem Charakter nichts zu schaffen, und dennoch, trotz seiner glühenden Verehrerzahl, war sein Charakter viel interessanter als seine Bilder. Er setzte seinen Stolz darein, in seiner Eigenschaft als Künstler jenseits von Gut und Böse zu stehen. Aber er redete von morgens bis abends unaufhörlich von diesem Recht. Talente hatte er viele, Tugenden wenige, wenn man von seiner Gefälligkeit erprobten Freunden gegenüber absieht, die viele seiner Biographen geltend machen, die jedoch die Tugend aller normalen Menschen, aller Seeräuber und aller Taschendiebe ist. Ich glaube aber, er zog mehr Gewinn aus dieser Tugend als aus allen seinen Talenten.«[21]

So abwegig also ist Hugo Balls Frage nicht gewesen. Sie ist nur falsch gestellt worden, und zwar in zweifacher Hinsicht. Erstens läßt sich zwischen Moral und Ästhetik keine archaische Diskrepanz herstellen, derzufolge das Böse, das Schöne, das Gute und das Häßliche einen festen Platz einnehmen, den zu vertauschen ein jeder, der mit Schocks handelt, als Nächstliegendes im Auge hat. Zweitens kommt die Binsenweisheit hinzu, daß weder die Moral noch die Ästhetik unveränderliche, das heißt von der Geschichte und den Produktionsweisen unbehelligte Größen sind. Gerade gegen diese Binsenweisheit ist Whistler angegangen, und gerade sie hat Ball übersehen. Im Grunde ist Ball, so wie er da fragt, ein Opfer Whistlers gewesen, denn er fragt in einer Form, die ihm jemand wie Whistler vorgeschrieben hat. Sie sollte Verwirrung stiften, Kategorien verstellen, Wirklichkeiten abblenden und, vor allem, aus der Kunst vertreiben, was nach Definition und Erkenntnis aussah. Weder stand noch steht Whistler damit allein. Noch heute ist die falsche Ecke, in die man den Moralisten drängt, damit durch das eingeengte Blickfeld seine Fragen zweifelhaft wirken, der beliebteste Topos einer Ästhetik, für die zwar Whistler nicht mehr als Maler, sicher aber als Charakter das Beispiel liefert. Es ist kein einnehmendes Beispiel und ein wirksames schon gar nicht. Andernfalls hätte Ball seine Frage überhaupt nicht gestellt.

Die sprachlosen Propheten

Wie kann eine übersinnliche, abstrakte Idee unter einer natürlichen Form in Erscheinung treten? Die bildende Kunst
kann keine Wunder darstellen, das heißt den Widerspruch
zwischen Gedanken und Form, und noch viel weniger das,
was nicht sinnlich wahrnehmbar ist.

Flaubert

1. Paradoxie

Nicht alle Signalwörter, die einmal die ungewohnten Bilder begleitet haben, deckten sich mit einem Tatbestand.
Eine Ausnahme machte die Forderung nach Reinheit, die
um 1905 laut wurde. Apollinaire umschrieb sie mit dem
Bild der Flamme, in der er das Symbol der Malerei sah: ihr
sei eine Reinheit eigen, die Fremdem keinen Raum läßt
und alles, was in ihre Nähe kommt, grausam verzehrt.
Eine bisher unbekannte malerische Reinheit bescheinigte
der Maler Jean Metzinger den Bildern seines Kollegen Picasso aus der kubistischen Zeit. Allein, Picasso bot nicht
einmal das Schulbeispiel, denn erst ein paar Jahre später,
als Kandinsky in München sein erstes ungegenständliches
Aquarell malte, kam eine bisher tatsächlich unbekannte
Reinheit an den Tag.

Heute gerät die Paradoxie in Vergessenheit, in der Kandinsky von Anfang an steckte. Er hatte Geist im Sinn, zur
Hand aber hatte er Ölfarbe. Das, womit es in der Praxis am
prekärsten aussah, hat er theoretisch auf das Nachdrücklichste verfochten. Es ging ihm, so steht es in seinen zahl-
reichen Schriften, nie darum, bloße Formen auf der Leinwand zu arrangieren; es ging ihm um die Sinngebung.
Sollte aber, anderen Erklärungen zufolge, die Malerei rein

bleiben, so mußte es sich von selbst ergeben, daß am Ende bloße Formen auf der Leinwand sichtbar wurden. Was bedeuten diese Formen, was ließ sich ihnen überschreiben? Wenn Mondrian seine Orthogonalstrukturen allmählich aus dem Baum- oder dem Ingwertopfmotiv entwickelt hatte, und zwar mit kubistischen Behelfen, so wollte er in keiner Phase ausdrücken, was nicht die Formen selbst enthielten. Delaunays Kreiskompositionen, um ein anderes Beispiel zu nennen, sind Versuche gewesen, Bewegung zu malen, und als solche waren sie buchstäblich gemeint: erst Apollinaire hat den »gigantischen Traumatismus«, von dem niemand weiß, was das ist, hinzugedichtet. Kandinskys frühe Bilder hingegen hießen »Lyrisches«, »Träumerische Improvisation« oder ähnlich, seine späteren »Blaue Welt«, »Zeichenreihe« oder gar »L'Élan tempéré«.

Schon in den ersten Improvisationen tritt eine Doppeldeutigkeit an den Tag, die unter dem Motto »Das Geistige in der Kunst« steht. Das Geistige soll sichtbar werden, ohne daß ihm diese Sichtbarkeit Abbruch tut. In dem Buch gleichen Titels heißt es, nach einer langen Erörterung der Ausdrucksmöglichkeiten und der Eigenwerte der Formen: »Die Unmöglichkeit und Zwecklosigkeit (in der Kunst), den Gegenstand ohne Ziel zu kopieren, das Streben, dem Gegenstand das Ausdrucksvolle zu entleihen, sind die Ausgangspunkte, von welchen auf weiterem Wege der Künstler von der ›literarischen‹ Färbung des Gegenstands zu rein künstlerischen (bzw. malerischen) Zielen zu streben anfängt.«[1] Dieser Ausgangspunkt gilt auch für Kandinsky. Er bedeutet, in Klartext übertragen: ein jeder Gegenstand enthält einen Ausdruck, den herauszulösen die Aufgabe des Malers ist. Die Behauptung ist Expressionismus in Reinkultur. Denn wenn der Gegenstand nicht als ein Ding steht, soll er vorab Teil sein eines Signalsystems, das um so deutlicher in Erscheinung tritt, je mehr die Körperlichkeit dieses Gegenstands zerfällt. Dafür haben die Expressionisten van Gogh als Kronzeugen angerufen, der allerdings kein Expressionist vor der Zeit, sondern ein Realist in Eile war, und namentlich sein Brief über das Nachtcafé in Arles ist zu wiederholten Malen zitiert worden. Mit dem Rot und dem Grün, so schrieb van Gogh, habe er die schrecklichen menschlichen Leidenschaften darstellen wollen, und zwar als Kampf und Antithese; das Café sei ein Ort, wo man sich ruinieren, verrückt werden oder Verbrechen begehen könne, alles in einer Atmosphäre von Höllenfeuer und blassem Schwefel. Er wolle, so lautet das Fazit, etwas wie die Macht der Todesnebel ausdrücken.

Angesichts dieser Äußerung und anderer, ähnlicher, stellt sich die Frage, die zunächst drakonisch klingt, im Grunde aber die ganze Problematik des Expressionismus aufwirft. Wie nämlich kommt das, was van Gogh ausdrücken wollte, was überhaupt schulmäßig der »Ausdruck« genannt wird, der »Charakter« oder, weniger schulmäßig, das Signal, in die Gegenstände hinein? Mag sein, ein Nachtcafé in der Provinz ist trostlos, mag sein, in ihm trifft man auf schreckliche Leidenschaften: als Gegenstand jedoch, als reale Ansammlung von Dingen und Figuren, ist ein Café ein Ort, wo Getränke ausgeschenkt werden, ebenso wie eine Landschaft, sieht man sie als geographischen Punkt, nichts anderes zeigt als ein paar Bäume, ein paar Hügel und einen Horizont. In dürren Worten: der Ausdruck, der Charakter oder wie immer man es nennen will, wird nicht, wie Kandinsky sagte, dem Gegenstand entliehen, sondern, wie es die Binsenweisheit will, bevor er im Bild als entliehenes Signal auftaucht, erst einmal in den Gegenstand hineingesehen. Die schrecklichen menschlichen Leidenschaften oder die Macht der Todesnebel sind Projektionen. Der Maler hat sie zunächst im

Kopf, bevor er sie im Motiv sieht oder sonstwie ein Gegenstand ihn daran erinnert: im Gegenstand selbst gibt es keine Todesnebel, nicht einmal in einem Sarg. Mehr noch: als der Expressionist Lazar Segal Jahrzehnte später ein Bild »Die Todesnebel« nannte, malte er kein Nachtcafé, sondern eine Komposition mit Figuren.

2. Alte Frauen tragen Violett

Der Zwiespalt liegt auf der Hand. Im Bild tritt ein Gegenstand auf, der doppeldeutig ist und dessen Bedeutungsfunktionen sich überdies kreuzen. Van Goghs Nachtcafé löscht durch seine übersteigert psychische Bezeichnung den Gegenstand aus, der Gegenstand wiederum drängt das Psychische in den Hintergrund. Daß dieses Bild trotzdem eine Wirkung ausübt, liegt in der van Gogh eigenen Intensität dieses Wechsels. Aber schon Munchs »Sünde«, Kokoschkas »Windsbraut« oder die religiösen Themen Noldes tragen ein Stigma: zwischen dem realen Gegenstand, an dem Psychisches hängen soll, und dem Gegenstand als Bildmotiv, der ja eine Darstellung ist, wird kaum unterschieden. Auf die Dauer verschlägt nur, was als Signal gilt, wenn, wie noch bei van Gogh, sich Projektion und Malerei decken: in vielen expressionistischen Bildern bleibt bald die Projektion aus und meistens die Malerei. An beider Stelle tritt die Umschreibung in Form von Gestikulationen und Zerrbildern, wenn nicht gar der Allegorie. Kandinsky erwähnt nicht von ungefähr jene literarische Färbung des Gegenstands, der er selber in seinen Jugendstilbildern durchaus zugetan war.

Andere Stellen seiner Schriften zeigen jedoch, in welchem Maß er sich über die Doppeldeutigkeiten im klaren war. Seine Polemik gegen den Gegenstand zielt nicht allein auf die Dinge, die gemalt als ein Krug, ein Kopf, ein Baum oder ein Café erscheinen; sie wendet sich vor allem gegen die Bedeutungen, die man in sie hineinlegen oder, wie er sagte, ihnen entleihen kann. Angenommen, so dürfte er sich gefragt haben, man entfernt jenen Gegenstand, der ja gleichzeitig eine reale oder projizierte Bedeutung enthält: kommt man dadurch auf eine neue Bedeutung, die nunmehr die Formen selbst oder die Farben freigeben? Mit seinen Worten: »Da stehen wir vor der Frage: müssen wir denn nicht auf das Gegenständliche überhaupt verzichten, es aus unserer Vorratskammer in alle Winde zerstreuen und das rein Abstrakte bloßlegen?«[2] Die Betonung liegt auf dem Gegenständlichen »aus unserer Vorratskammer«. Kandinsky meint damit, daß Gegenstände auf der Leinwand Konventionen abgeben: er hat dabei im Auge, was seinerzeit in bürgerlichen Salons an den Wänden hing oder überhaupt als gültiges Abbild im Umlauf war. Über das Vorhandensein solcher Abbilder zielt er jedoch auf die Einstellung der Beschauer ihnen gegenüber: aus der Vorratskammer stammen nicht nur die ohnehin bekannten und folglich eingängigen Dinge, sie liefert auch einen ebenso abgetanen Inhalt.

Fraglos ist Kandinsky im Recht, wenn es um die Gemälde der Böcklin, Stuck, Sargent und Zuluoaga geht. Löst man jedoch seine Frage aus dem engen Kontext der Kunstbräuche und setzt sie in Zusammenhang mit dem Geistigen, mit Kandinskys ehrgeizigem Vorhaben, dem der Bildersprache, so kommt man zu einem weniger eindeutigen Resultat. Der Gegenstand nämlich, der mit der Begründung annulliert werden soll, daß er Abgetanes mitschleppt, und selber abgetan ist, bleibt trotzdem eine Bezeichnung, und daran ändert nichts, daß Kandinsky recht hatte, wenn es, wie es zu seiner Zeit der Fall war, um seine Verwendung als Bildmaterial ging. Nur: im Augenblick, da eine Spra-

che zur Debatte steht, eine Bildersprache hier, ist eine
Summe von Übereinkünften unerläßlich, es sei denn, man
zöge sich, gleichgültig, ob es sich verkörpern läßt oder
nicht, auf das »rein Abstrakte« zurück.

Kandinskys Problem ist leicht zu bestimmen. Läßt sich
das Geistige, so wie er es verstand, im Gemalten zum Ausdruck bringen und wenn, wie? Noch einmal bietet sich der
Expressionismus als Vehikel an, jetzt mit der Farbsymbolik, die Stimmungen und Psychisches ohne Umschweif
übermitteln soll. Folgerichtig beschreibt Kandinsky in
seinem Buch eine ganze Skala von Bedeutungen. Violett
zum Beispiel sei im psychischen und physischen Sinn ein
abgekühltes Rot; es habe etwas Krankhaftes an sich, etwas
Erlöschendes oder Trauriges. Alte Frauen trügen diese
Farbe; in China sei sie die Farbe der Trauerkleider. Violett
klinge wie ein englisches Horn oder wie die tiefen Töne eines Holzinstruments. Die Parallele zu van Goghs Brief

bietet sich von allein an: solche Ausdeutungen sind tatsächlich ein abstrakter van Gogh. Aber im Gegensatz zu van Gogh gerät Kandinskys Sprachversuch ins Disparate. Er zaubert einen zweifachen Gegenstand herbei, der zwar nicht wie ein determinierter Krug, Baum, Kopf oder wie ein Nachtcafé aussieht, trotzdem aber, als Violett erstens, als »Krankhaftes«, »Trauerkleider« oder »englisches Horn« zweitens, ebenso determiniert bleibt, denn die Farbe Violett ist ein konkretes Ding, während die Attribute Krankhaftes, Trauerkleider oder englisches Horn im übertragenen Sinn konkret bleiben, als Illustrationen nämlich. Mit ihnen tritt nichts Geistiges zutage, sondern eine Anzahl von Gegenstandsgespenstern.

3. Der innere Klang

Darauf spielte wahrscheinlich Carl Einstein an, als er in einem Essay von Kandinskys Lücken und dessen »centripetaler Inzucht« sprach.[3] Am Gegenstand Farbe hängt, als Bedeutung, ein Gegenstandsgespenst: ins Auge jedoch springt die Farbe. Aber Flächen einfärben, das wollte Kandinsky nicht: diese Flächen sollten gleichzeitig als Erkennungszeichen gelten. Das Stichwort dafür heißt »innerer Klang«, den er als abstrakte Vorstellung, als Dematerialisiertes, als Vibration kennzeichnet. »Die kommende Behandlung und Veränderung der organischen Form«, so meinte er, »hat zum Ziel die Bloßlegung des inneren Klangs. Die organische Form dient hier nicht mehr zum direkten Objekt, sondern ist nur Element der göttlichen Sprache, die Menschliches braucht, da sie durch den Menschen an Menschen gerichtet ist.«[4] Dazu sagte Einstein lakonisch: Gottersatz. Das Geistige gehört für Kandinsky in den Bereich von Mythos und Glauben. Aber wenn er von

göttlicher Sprache redet, muß er zwangsläufig vorausset-
zen, daß diese Sprache an und für sich existiert, ganz
gleich, in welchem Maß sie sich durch ihn oder wen immer
zu erkennen gibt. Der Geist macht abermals die Ölfarbe
überflüssig. Daher die obligate Wechselwirkung von
Farbe und Gegenstandsgespenst, die dem Geist zu ein paar
Symbolen verhelfen soll. Um diesen aber, umgekehrt, das
bißchen Dinghaftigkeit zu entziehen, hält sich Kandinsky
eine Zeitlang an die Anthroposophie. Sein Buch weist ausdrücklich auf Rudolf Steiners Lehre und Helena Petrowna
Blavatzkys Katechismus dieser Lehre hin. Aus ihr notiert
er sich die Fangwörter wie Zahl, Lebenskräfte, inneres Leben oder die Antinomie Inneres-Äußeres.

Doch was immer man von solchen Begriffen hält, in der
Malerei sind sie nicht auszudrücken. Sie sind gedanklich
schon zu vage, um überhaupt Gestalt anzunehmen, ge-
schweige denn als Farbe oder als Form. Sie liefern, allenfalls, den namenlosen Bildern ein paar Namen: »Lyrisches«, »Blaue Welt«, »L'Élan tempéré«. Weil Kandinsky
sich verständigen will, muß er Zuflucht zu Nominalismen
nehmen, die wiederum nur dann wirken, wenn sie auf einer Übereinkunft beruhen, und sei es nur die Übereinkunft, daß solche Mitteilungen kraft ihres Kunstcharak-
ters im Dunkel bleiben. Verzichtet er jedoch auf die Be-
nennungen, läuft er Gefahr, daß seine Bilder nichts als
eingefärbte Flächen wiedergeben. Erfindet er, schließlich,
als dritte Möglichkeit, seine eigenen Symbole, bleiben sie
sprachlos. Sartres nicht ganz gerechter Vorwurf an Klee
trifft genauer noch auf Kandinsky zu: er mühte sich mit
einer Malerei ab, die gleichzeitig Ding und Zeichen sein
sollte.

4. Mindestbilder, Mindesttheorien

Der Paradoxie sind Mondrian und anfangs auch Malewitsch aus dem Weg gegangen, auf Kosten, das ist wahr, jeder Art von Erkennungszeichen. Malewitsch hat es klipp und klar auf eine Formel gebracht: »Die neue Kunst hat den Grundsatz in den Vordergrund gestellt, daß Kunst nur sich selbst zum Inhalt haben kann. So finden wir denn in ihr nicht die Idee von irgend etwas, sondern nur die Idee von der Kunst selbst, ihren Selbstinhalt.«[5] Gewiß, das ist ein Verzicht: die Erscheinungen werden endgültig aus den Bildern geräumt; übrig bleiben ein, zwei optische Axiome, die Mondrian »Stil« nennt. Zwar verwendet auch er, wie Kandinsky, mit anthroposophischer Großzügigkeit das Wort »Geist« oder die, wie bei Kandinsky, aus jeder dialektischen Bindung gelöste Antinomie »Inneres-Äußeres«; im Gegensatz zu Kandinsky aber sucht er damit nicht Symbole, sondern etwas, das er »Gestaltung« nennt. Mit seinen Worten: »Die Malerei ist zu konsequenter Präzisierung, Verinnerlichung der Gestaltungsmittel imstande, ohne das Gebiet der Gestaltung zu überschreiten. Die Neue Gestaltung in der Malerei bleibt reine Malerei: die Gestaltungsmittel bleiben Form und Farbe in ihrer stärksten Verinnerlichung. Die gerade Linie und die flächige Farbe bleiben rein bildnerische Ausdrucksmittel.«[6]

Weit reicht dieser Leitgedanke nicht. Die Bilder sind Mindestbilder, darauf dasselbe Viereck in verschiedenen Größen dieselbe Grundfläche vergittert, so als hätte es sich Mondrian in den Kopf gesetzt, das Viereck der aufgespannten Leinwand in Teilungen und Varianten zu wiederholen. Ebenso sind seine Überlegungen Mindesttheorien, die sich selber teilen, variieren und wiederholen. Jede von ihm aufgestellte Behauptung enthält zugleich die stillschweigende Negation zahlloser anderer, was wiederum den Bildern entspricht, auch die Negationen ungemalter Gegenstände und Motive. Dahinter steht, im Gegensatz zu Kandinsky, die Absage an jede noch so ins Vage gerückte Naturform. Denn Mondrian hatte immerhin eingesehen, wo Kandinsky in Widersprüche verwickelt war, und damit auch den eigenen Stilzwang erklärt. Dabei stellte er allerdings Kandinsky dem Picasso der kubistischen Zeit entgegen, den er, wie viele damals, gründlich mißverstand. »Auch Kandinsky«, so heißt es in einem Exkurs seiner Abhandlung, »zerbrach die geschlossene Linie, den großen Umriß der Dinge, da er aber den natürlichen Umriß nicht genügend straffte, blieb sein Werk überwiegend der Ausdruck natürlichen Gefühls. Wie bedeutsam die Spannung der gebogenen Linie und der Gebrauch der geraden Linie ist, wird uns klar, wenn wir Werke Picassos mit denen Kandinskys vergleichen. Kandinskys verallgemeinernde Darstellung ist wie die Picassos durch Abstrahieren von natürlichen Formen und Farben entstanden: bei Kandinsky bleibt jedoch die Linie Überbleibsel vom Umriß der Dinge, während Picasso die freie gerade Linie einführt. Gebraucht Picasso auch noch die Teile vom Umriß der Dinge, so führt er doch zur Bestimmtheit, während Kandinsky das natürliche Zerfließen von Farbe und Linie noch einigermaßen intakt läßt.«[7]

Natur ist für Mondrian überhaupt der Inbegriff einer wilden, gestaltlosen Zufälligkeit, ähnlich wie für Baudelaire, der sich gegen das Ungeformte und biologisch Gegebene zur Wehr setzte. Das Naturschöne verzerrt sich, sobald man es für schön erklärt. Dem hätte Mondrian sofort zugestimmt. Seine Biographen erzählen, wahrscheinlich weil es über die Bilder wenig zu sagen gibt, eine Unzahl von Mondrian-Anekdoten, darunter die, daß er einmal, um die verhaßte Farbe Grün zu eliminieren, die Pflanzen vor seinem Fenster blau angemalt hat. Bemerkenswert

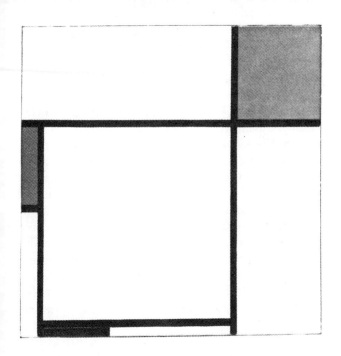

daran ist, daß Mondrian reale grüne Pflanzen anstrich, nicht etwa, wie Matisse oder die Expressionisten, blaue Pflanzen auf die Leinwand malte. Sein Stilprinzip war derart normativ, daß er es ohne weiteres in die Realität übertrug. Dabei geschah, was ohnehin auf der Hand lag, Mondrian jedoch stets verborgen blieb: zwar hatte er das Bild, das Pflanzenbild geändert, keineswegs aber den Gegenstand selbst, den er mit seiner Erscheinung gleichzusetzen pflegte. Er hatte die Farbe Grün ausgelöscht, nicht jedoch, wie er dachte, die Natur.

Was aber läßt sich gegen die Natur stellen, wenn sie nun einmal aus Realien, nicht allein aus einer Anhäufung unreiner Farben und Linien besteht? Die Kultur? Das, was

Mondrian die »vertiefte, bewußtere Innerlichkeit« nannte? Abermals mit Kandinsky verglichen, ist seine Lösung simpler, eine schlichte Umkehrung nämlich, die in einem fort die Kunstgeschichte auf den Kopf stellt. Alle vergangenen Kunstformen, so heißt es, unterscheiden sich durch eine zeitliche und örtliche Bedingtheit. Aber das ist Geschichte, Zufall also: was zählt, ist das Eine, das Wesen, und im Wesen, so Mondrian, sind alle Kunstformen gleich. Das Eine nennt er auch das Universale, was zu seiner Zeit offenbar ein Gemeinplatz war, oder, kandinskyhafter, das tiefste Wesen alles Seienden. Malerei teilt sich, so gesehen, in einen zeitlosen Inhalt und in eine zeitliche Erscheinung, die diesen Inhalt ausdrückt. Hier allerdings ist für Mondrian noch einmal Vorsicht geboten, denn die Erscheinung ist stets etwas Individuelles, Zeitbezogenes. Daraus ergibt sich die nächste Kontraindikation: eine solche Erscheinung entbehrt der Bestimmtheit. Bleibt also das Universale als Abstraktion, derzufolge Velazquez und Giotto, Tintoretto und Phidias, Rembrandt und Masaccio eins sind. Was aber ist das Universale? Mondrian kommt an diesem Punkt wenigstens zur Sache: »Das Universale im Stil dagegen ist ewig und dasjenige, was jenen Stil zum Stil macht. Dies Universale macht, wie die Weisheit lehrt, auch den Kern des menschlichen Geistes aus, obwohl es in ihm durch unsere Individualität getrübt erscheint. So wenig das Universale in uns zur Bestimmtheit gelangt, so wenig erscheint es außer uns in Bestimmtheit. Obwohl das Universale sich durch die Natur als das Absolute ausdrückt, kommt das Absolute in der Natur nur in der Verhüllung der natürlichen Formen und Farben zu verstecktem Ausdruck. Während sich das Universale als das Absolute in der Form durch die gerade Linie, in der Farbe durch das Flächige und Reine und in der Gestaltung der Beziehungen durch das Gleichgewicht darstellt, manifestiert es sich in der Natur nur als Drang nach dem Absoluten – als Drang nach der Geraden, dem Flächigen, dem Reinen, dem Gleichgewicht, und zwar durch Formenspannung (Linie), Flächigkeit, Intensität, Reinheit der natürlichen Farben und natürlicher Harmonie.«[8]

Es ist eine einfache Sache, auf die Mondrian kommt: sein Malprinzip als Richtmaß der Kunstgeschichte. Der Antinatur entspricht eine Antigeschichte oder bestenfalls eine Geschichte der Schutzvorkehrungen. Dabei bleibt er ungleich dürftiger als Kandinsky: es geht ihm um optisch Feststellbares, das theoretisch der Beweise nicht bedarf. Was er malt, ist ein Armutsgelöbnis namens Gestaltung. Es läßt am Ende allein das zu, was ohnehin sichtbar ist. Eine gerade Linie ist gerade, ein Viereck ist rein, Grundfarben sind rein oder, wie Mondrian sagt: sie sind bestimmt. Es ist aber etwas bestimmt, das sowieso, auch ohne sein Zutun, bestimmt gewesen wäre. Mondrian sagt in seinen Bildern nichts anderes, als daß eine gerade Linie gerade, ein Rot rot, ein Gelb gelb oder eine Fläche flach ist.

5. Das Nichts

Dasselbe sagt Malewitsch: ein Viereck ist ein Viereck, Schwarz ist schwarz, und Weiß ist weiß. Aber bei ihm hat es damit nicht sein Bewenden. Er hatte, so scheint es, rasch erkannt, was ein jeder sehen konnte: daß er Redundanzen malte und somit seine gegenstandslose Welt als eine sprachlose Welt schlechthin darstellte. Gegenstandslos ist überdies ein ziemlich zwieschlächtiger Begriff, den Malewitsch mit einer bemerkenswerten Furchtlosigkeit wörtlich nahm. Zwar sind für ihn der Geist und die Antinatur ebenfalls gegebene Größen, zu ihnen gesellt sich aber eine dritte: »Wo sollte der Künstler die Schönheit hernehmen, in die er sein Werk kleiden könnte, wenn alle Elemente, mit denen er operiert, Naturgesetzen unterworfen sind und der Künstler sie nach ihren Zusammensetzungs- und Gewichtsunterschieden nur neu ordnet. Ebenso gibt es in der Natur auch jene Weisheit nicht und jene letzten Ursachen, die der Mensch um jeden Preis erkennen will. Wenn es eine Wahrheit gibt, so nur in der Gegenstandslosigkeit, im Nichts!«[9]

Um dieses Nichts kreisen ab 1913 seine Malerei und, kurz darauf, seine Theorie. Mit dem schwarzen Viereck, das zentrisch auf einem weißen Grund lag, wollte er auf zweierlei kommen: auf einen malerischen Grundsatz, der darstellt, was, seinem Empfinden nach, emblemartig als nur noch Darstellbares zu malen ist, wobei ihm, als zweites, der Gedanke kam, er könne mit diesem sichtbaren, handgreiflichen Emblem das Nichts der Vorstellungen überhaupt kenntlich machen. »In der Gegenständlichkeit«, so schreibt er kategorisch, »wirkt das ›Nichts‹, das nicht weiß, worin, wofür und warum es wirkt, weil alle Fragen in der fiktiven Welt der Vorstellungen bleiben, die zu keinem klaren Urteil führen.«[10] An die Antinatur und die Antigeschichte knüpft sich jetzt die Absage an die Vernunft, selbst dort, wo es sich allein um die Vernunft des Bildgeschehens gehandelt hätte. Auch sie löst Malewitsch auf: er will das nicht wissende Nichts aus der Gegenständlichkeit entlassen; er spricht folglich vom befreiten Nichts, das keiner Wirklichkeit und keiner Vorstellung mehr unterstellt ist, dessen Darstellbarkeit er also wie die Sinngebung überhaupt in die reine Negation überführt.

Aber dieser Schlußstrich ist keiner: von der anderen Seite nämlich kommt Malewitsch wieder auf Kandinskys Problem. Entweder seine Bilder verkörpern die Grenzen der malerischen Darstellung oder aber sie sind ihr Gegenteil, Symbole also, die für etwas anderes stehen, für die

Grenzen der Vorstellung und der Erkenntnis an sich, für Wittgensteins Satz womöglich, daß man darüber schweigen soll, worüber man nicht reden kann. Nur: Malewitschs Viereck deckt sich durchaus nicht zwangsläufig mit einem solchen Gebot. Es hat sich selbst zum Inhalt, wie Malewitsch es auch sagte; es verkörpert die eigene Sprachlosigkeit, genauer: die eigene Inhaltslosigkeit. Diesen Standpunkt, das stimmt schon, würde Malewitsch auch geteilt haben. Aber wiederum kommt die andere Seite ins Spiel: das weiße Viereck der Leinwand und das schwarze, aufgemalte, sind konkrete Dinge. Wenn sie über diesen elementaren Selbstinhalt hinaus, darüber hinaus also, daß ein Viereck viereckig ist, etwas zur Sprache bringen wollen, so bleibt allenfalls, wie im Fall Kandinskys, eine symbolische Besetzung, wobei gerade die konkrete Form auf das Nachdrücklichste durchkreuzt, was mit ihr zur Sprache kommen soll. Das Nichts, kurz, ist ebenso eine Vorstellung wie andere, botmäßiger gemalte, die jeweils »Die Sünde«, »Die Windsbraut« oder »L'Élan tempéré« hießen.

In der Folge hat Malewitsch den Rückzug angetreten. Statt Vierecke liegen nunmehr balkenartige Flächen schräg auf der Leinwand, was Mondrian strikt abgelehnt hätte und, als sein Freund van Doesburg ähnliches begann, auch zurückgewiesen hat. Später schweben, wie in Kandinskys Bauhausbildern, geometrische Mindestformen, Vierecke, Dreiecke, Kreise und Halbkreise in Überschneidungen auf dem Grund, was einen Raumeffekt ergibt, angefüllt mit Mischgebilden, teils Formen, teils Zeichen, ohne daß Malewitsch etwas hat bezeichnen wollen.[11] 1922 verfaßte er sein Manuskript über den Suprematismus, darin er sich, von ein paar Definitionen der eigenen Malerei abgesehen, mit Begriffen und Bedeutungen abquälte, die seinen Horizont überstiegen. Strek-

kenweise, zumal wenn er gegen den historischen Materialismus, oder was er darunter zu verstehen imstande war,
stritt, liest sich seine Schrift wie ein schizophrenes
Sprachprodukt.

6. Realität

Trotzdem bestand Malewitsch darauf, daß seine Malerei
Wirklichkeit sei und kein Schein, ebenso wie Mondrian
von »absolut-realer« Malerei sprach oder Kandinsky später von »konkreter Kunst«. Der Anspruch hat Schule gemacht. Die Sprachlosigkeit, für ihre Propheten noch ein
Dilemma, zumindest aber ein kritischer Punkt, setzt sich
bei ihren Nachfolgern fort, Mondrians und Malewitschs
Negation als eine Verordnung handgreiflicher Schaustük-
ke, denen ebenfalls die Realitätsforderung anhängt. So
stand, als Maxime, auf dem Katalogumschlag einer Ausstellung von Minimal Art, die unter dem Titel »The Art of
the Real« in London gezeigt wurde, der Satz: »Das Reale
spricht heute nicht mehr direkt Emotionen an, es hat
nichts mehr mit Erbauung zu tun, statt dessen bietet es
sich in Form eines einfachen, unreduzierbaren und unwi-
derlegbaren Gegenstands an.«[12] Malewitschs Schlußstrich wird noch einmal gezogen, dabei aber der letzte Si-
gnalrest, auf den er, Mondrian und Kandinsky nicht hatten verzichten wollen, ausgelöscht. Die Schaustücke, glatt
bemalte Leinwände oder Fertigteile aus der Röhrenfabrik,
geben ihren Kunstwert zugunsten einer Faktizität auf, die
sich in keiner Weise von sich selber ablenken lassen will.
Nicht anders aber als bei Kandinsky, Mondrian und Malewitsch stellt sich die Frage, ob mit real und konkret das
bloße Vorhandensein der Mindestbilder gemeint ist oder
eine ihnen innewohnende Qualität.

Wer so fragt, stößt über kurz oder lang auf zwei verbundene, aber verschiedene Dinge. Zunächst einmal steht es fest, daß Kandinsky, Mondrian und Malewitsch mit ihrem steten Rekurs auf die rudimentären Bildelemente, auf eine primitive Geometrie und auf die Beschaffenheit des Bildmaterials einen Vulgärmaterialismus aufgebracht haben, einen Materialismus auf der untersten Wahrnehmungsstufe, der sich notwendigerweise mit einem ebenso rudimentären Vulgäridealismus paaren mußte, damit die Primitivität der bemalten Leinwände aus dem Blickfeld und eine Kunstvorstellung, wie immer sie auch formuliert worden ist, in den Vordergrund rücken konnte. Mitunter wirkte die Kunstvorstellung wie eine Heilslehre. Real dagegen, das sollte das Rot als Rot sein oder der Selbstinhalt als gemalter Sachverhalt. Nur schlug gerade dieser, in seiner äußersten Reduktion, unablässig in Kunstlosigkeit um, nicht allein als Einspruch gegen Überhöhungen oder mißlungene Darstellungen vom Schlage Böcklins, Stucks

49

oder Zuloagas, sondern in seiner Eigenschaft als unreduzierbares und unwiderlegbares Ding, als Darstellungsnegation also, deren ästhetischer Wert schon damals derart minimal war, daß er ohne weiteres auch anderen Werten, religiösen oder mystischen, Platz machen konnte.

Das nun führt zum zweiten Punkt. Der Anspruch auf Realität hat der abstrakten Malerei stets eine Art sozialer Rechtsgültigkeit verliehen. Sie ist nicht von der Hand zu weisen, auf eine andere Weise allerdings, als es die Maler im Sinn hatten. Wenn nämlich die ideellen Werte eine Besetzung blieben, warum, statt des Geistigen, des Universellen und des Nichts nicht andere einführen, das mathematische Denken zum Beispiel, das man für Mondrian reklamierte, oder, in Hinblick auf Malewitsch, die »vierte Dimension«, die schon bei Apollinaire herumspukte. Nicht um die einzelnen Sinngebungen geht es; was vielmehr zählt ist ihre Austauschbarkeit: der Sachcharakter der bemalten Leinwände ließ nun einmal die verschiedensten Bedeutungsvorschläge zu. Im Gegensatz zu den angedeuteten Symbolen eines Klee konnte dieser Bildtyp, hatte man sich auf seinen Kunstwert geeinigt, auch ohne jeden Bedeutungsschatten, als bloße Wirkungsform, wie Hildebrandt es genannt hätte, auskommen. Die Sprachlosigkeit gab überdies den Anstoß zu einem Sprung: Napoleons Schlachten, von Meissonier gemalt, mochten bei Karlisten nicht gefragt sein, Böcklins Nixen nicht bei Kalvinisten. Die Bildflächen hingegen aus Farbe, Leinwand und Besetzung brauchten nirgendwo auf Widerstand zu stoßen, vorausgesetzt, der Beschauer hatte herausgefunden, daß er Werte und Bedeutungen beliebig ins Gemalte einbringen oder aus dem Gemalten entfernen konnte. Es ging nicht mehr um Schlachten, um Nixen, nicht einmal mehr um Behelfe wie den inneren Klang: es ging um die Verfügbarkeit, die solche Bilder geltend machten.

Das Fortschrittliche und das Rückschrittliche verschränken sich somit auf eine unlösbare Weise. Die Freizügigkeiten reduzierten sich auf die Mahnung, daß von Kunstwerken die Rede ist. Kunstwerke jedoch im traditionellen Verstand waren die abstrakten Bilder nie: sie waren Dinge, tableaux-objets, wie die Kubisten sie nannten, deren Dinglichkeit fortwährend nach einem Sinn verlangte. Es sollte ein metaphysischer sein; deutlicher aber war es ein diesseitiger: der einer Ware. Denn der Abstraktionsgrad ging in der Tat Hand in Hand mit den von Tauschwerten belegten, ihrerseits Abstraktionen ausgesetzten Dingen, die in Auslagen, Schaufenstern und Depots ihre »theologischen Mucken« zur Schau trugen. Weil die abstrakte Malerei kein Thema hatte, absorbierte sie unweigerlich die Warenform und das Tauschsymbol: das ist ihr unausgesprochener Hintersinn oder eine nicht mit dem Bann zu belegende Gleichung.

Man soll den Zusammenhang nicht dämonisieren. Mondrian und, vor allem, Malewitsch haben die Berührung mit der Industrieform, der blanken Ware also, nicht gescheut. Anders Kandinsky. Das hat besonders in den Bauhausjahren zu Unstimmigkeiten geführt. Auf die dort latenten Konfliktsituationen hat Marcelin Pleynet mit der Begründung hingewiesen, daß der Widerspruch zwischen einem rigorosen Kunstbegriff, wie ihn Kandinsky und Itten vertraten, und der bereits von Gropius verfochtenen Einheit von Kunst und Technik die Lager spalten mußte. Die Maler argumentierten, so Pleynet, wenn sie ihre Kunst in »literarischen Transkriptionen« vermittelten, »theologisch«.[13] Man kann jedoch davon ausgehen, daß Gropius aufgrund einer ideal gesehenen Warenform sich mit Kandinsky dort traf, wo dieser die Verfügbarkeit der Bildmotive zwar nicht als Warenanalogie, sicher aber als Vorgriff auf ein in der Zukunft liegendes Wertsystem der

Künste sah. Beide, so kann man folgern, waren sich in einer vom Ästhetischen her bestimmten Fortschrittlichkeit einig. Zu dieser Fortschrittlichkeit gehörte es, daß man die Warenform als transitorischen Zustand nahm, der den Bildern selbst nichts anhaben konnte. Wenn Gropius nicht außer acht ließ, unter welchen Verhältnissen die Produktformen an den Tag kamen, hatte Kandinsky eine künftige Welt mit künftigen Beschauern im Auge, für die allein der Geist und das »offene Gefühl« zählten. Im Namen des Geistes nahm er das Warenhafte auch dann in Kauf, als es sich, was den Umlauf seiner Bilder betraf, buchstäblich einstellte. Abstrakte Bilder wurden damals nicht sehr hoch bewertet, trotzdem gingen sie den Weg der Tauschobjekte. Durch die Warenphase, so mochte Kandinskys Überlegung lauten, mußte das Kunstwerk in Hinblick auf eine bessere Welt hindurch.

So gewiß es ist, daß die Malerei nicht als eine Tauschkunst gedacht worden war, so unabweisbar ist es auch, daß sie in erstaunlich kurzer Zeit die Züge einer solchen angenommen hat. Am Ende nämlich hat sich die Sprachlosigkeit gegen ihre Propheten gekehrt: die Anonymität der Bilder enthielt vorab schon nicht allein Abweisungen und Schutzvorkehrungen, sondern, mit ihnen, auch die unausgesprochene Einladung, die jederzeit ablösbaren Nominalgehalte durch neue, beliebige oder zweckmäßige, zu ersetzen. Malewitschs Nichts kann auch als Ausgangspunkt für jene Beschlagnahmungen verstanden werden, die Designer und bürgerliche Ideologen zu den wahren Herren der abstrakten Kunst gemacht haben. Die Wunder, die Kandinsky, Mondrian und Malewitsch darstellen wollten, sind nur noch in ihren Schriften nachlesbar: sichtbar sind sie nicht und wohl auch nie gewesen.

Der ungläubige Realist

1. Die Fabelgestalt

Die Nachrufe hatten einen Ton an sich, als wäre nicht sein Tod, sondern seine Heiligsprechung zu melden gewesen. Ansonsten harte Publizisten gaben sich als Betbrüder, Leitartikler als Claqueure. Nicht ein bedeutender Maler war gestorben, vielmehr hatten sich die Augen des Jahrhunderts geschlossen. Von den Bildern, die er in ungewohnten Mengen gemalt hatte, war schon gar nicht die Rede; sie illustrierten, wenn es hoch kam, seine mythische Figur. Daß die Kunstwelt ihre beschädigte Sprache vollends verlor, bedarf keiner Erwähnung: immerhin hatte der Tote über Jahrzehnte hinweg ihr Denken beschäftigt, und der Mythos, der um ihn entstanden war, stellte den einzigen Glaubenssatz dar, den sie auch Nichteingeweihten, ohne auf nennenswerte Widerstände zu stoßen, verkünden konnte. Picasso, das war der Inbegriff einer modernen Kunst, deren Erfolg ins Legendäre umschlug; er war eine Fabelgestalt, der mit den Begriffen der Vernunft, so schien es, nicht beizukommen war.

Auch hatte seit einiger Zeit schon der Mythos das aus dem Blickfeld gerückt, was Picasso malte. Den Bildermengen, die er förmlich ausstieß, folgte eine Bücherflut auf dem Fuß, die sich, meist vergeblich, mühte, solcher Quantitäten und Stilsprünge Herr zu werden. Nicht einmal die sorgfältig gearbeiteten Bibliographien, die das Museum of Modern Art von Zeit zu Zeit veröffentlicht, führen sämtliche Schriften über Picasso auf. Ein einzelner Autor, so zumindest sah es aus, war dem Thema nicht gewachsen, und so bereitwillig sich die Kunstwelt auch mit Gedrucktem bestückte, im Fall Picassos hatte sich eine Inflation ihrer bevorzugten Werbegaben bemächtigt. Kein Wunder, wenn statt der Analyse die Gottesschau ins Kraut schoß und der Glaubenssatz die Erklärung verdrängte.

Es ist wahr, nicht alles, was über Picasso geschrieben oder gedruckt wurde, ist bloße Denkmalspflege gewesen. Von Saison zu Saison erhoben sich Stimmen, die das Denkmal, wenn nicht stürzen, so doch ramponieren wollten. Von Adolphe Baslers Pamphleten aus den zwanziger Jahren, unter ihnen eins mit dem Titel *Der Katzenjammer nach dem Fest*, bis zu den Lästereien, die später die Gilot zu Papier brachte, pflanzten sich wie die Preisschriften, in geringerer Anzahl allerdings, auch die Streitschriften fort. Eine der letzten stammt von John Berger, den man, in Anlehnung an den Begriff Austromarxismus, einen Anglomarxisten nennen kann. Berger leugnet keineswegs Picassos Rang; wie er ihn allerdings in die Kategorien des *common sense* zu bringen versucht, verrät Unschlüssigkeit. Der Tenor seines Buchs lautet, verkürzt, daß Picasso schlecht beraten war, als er seine Attacken auf die bürgerliche Ästhetik in den Zirkeln von Montparnasse und dem Quartier Latin austrug: er hätte hingegen aus seiner Ästhetenwelt treten und, reisend, den jungen Völkern junger Länder ihre »Guernicas« malen sollen.[1]

Nicht immer, das stimmt schon, operiert Berger mit einer solchen Naivität. Andere seiner Äußerungen sind nicht von der Hand zu weisen, wieder andere treffen ins Schwarze. Nur widerfährt ihm fast jedesmal ein Unglück, wenn er ein Urteil fällt, sei es ein Lob, sei es ein Verweis. Dieses Urteil nämlich belegt Berger mit einer Abbildung, und damit tritt ein Mißverhältnis an den Tag. Vergleicht man das Urteil mit dem reproduzierten Bild, so schreckt man unweigerlich zurück: was Berger mißlungen nennt, überzeugt oft auch auf den ersten Blick; was Berger feiert, überzeugt auch oft auf den zweiten nicht.

Es geht dabei nicht um den Einzelfall. Wer immer über Picasso seine Meinung äußert, gleichgültig, ob er eine Huldigung im Sinn hat oder eine Kritik, läuft Gefahr, daß die Abbildungen das Geschriebene widerlegen. Qualitätsurteile erweisen sich als Emotionalien, Auslegungen als doppeldeutig und Beschreibungen als platt. Das hat einmal etwas mit den Bildermengen zu tun, die Picasso in Umlauf gebracht hat. Sie sollten wohl einschüchternd wirken; zumindest ist eine solche Wirkung nicht von der Hand zu weisen. Kaum jemand ist darauf gekommen, daß es sich empfiehlt, Trennungslinien zu ziehen: die »Demoiselles d'Avignon« sind etwas anderes als die Faune von Antibes, die Studien zu »Guernica« etwas anderes als die Zeichnungen, die er fürs Shakespeare-Jahr oder, zu Weihnachten, für eine Rundfunkillustrierte lieferte. Man muß sich, alles in allem, darüber im klaren sein, daß Picassos Spätwerk von Wiederholungen und Selbstzitaten nur so strotzt. Es ist ausgerechnet worden, daß er vom 5. Januar 1969 bis zum 2. Februar 1970 alle 52 Stunden ein Bild fertigmalte. Die Zeichnungen, die im selben Zeitraum aus seiner Werkstatt kamen, viele von ihnen weitaus konziser, hat man gar nicht erst gezählt.

Auf der anderen Seite läßt sich die Schwierigkeit, Picassos Bilder festzulegen, mit einem Grundsatz erklären, den der Maler stets befolgt hat. Eher als Bilder wollte er eine Sprache schaffen, die gleichermaßen ikonisch und konzeptuell sein sollte. Es ging ihm darum, Bedeutungen in ein an sich bedeutungsarmes Medium zu bringen. Picasso hat die Malerei alphabetisieren wollen: hier liegt sein Verdienst und gleichzeitig das Riskante seiner Stilfolgen. Braque hat einmal gesagt, man dürfe nie vergessen, daß die Malerei keine Kunst ist, die alles kann. Diesen Satz hätte

Picasso auf das Nachdrücklichste zurückgewiesen. Einem anderen Satz von Braque hätte er wahrscheinlich zugestimmt: eine Sache definieren heißt, die Definition an ihre Stelle setzen. Es fragt sich nur, worauf diese Definition zielt. Die Frage führt mitten in Picassos Malprobleme. Wer sie beantworten will, muß sich auf einen Umweg einlassen.

2. Unbewegt: Frau Moitessier

In der Londoner National Gallery hängt ein Bild von Jean Auguste Dominique Ingres, das Porträt der Madame Moitessier. Es führt die Porträtierte sitzend vor, die Hand am Gesicht und den Arm auf eine Sessellehne gestützt, vor einem Spiegel, der, wie bei Vermeer, das Profil noch einmal wiedergibt. Bekleidet ist die Figur mit einer Seidenrobe, deren geblümten Luxus Ingres bis ins Detail genau nachgemalt hat, wie überhaupt seine Frauenbildnisse, Madame Decauvay zum Beispiel oder die Baronin Rothschild, dadurch auffallen, daß ihre Roben und Kleider besonders materialgetreu abgebildet sind.

Dieses Porträt stammt aus dem Jahr 1856. Madame Moitessier ist, allem Anschein nach, eine Bürgersfrau, die ihrem Stand nichts schuldig bleibt, und entsprechend hat Ingres sie gemalt. Sie verkörpert das *juste milieu,* wenn sie es nicht gar, posierend, zur Klassik erhebt. Baudelaire hat daraus zu seiner Zeit dem Maler Ingres einen Vorwurf gemacht; Heine ist in seinem Salonbericht von 1843 über Ingres, für ihn der Inbegriff der Mittelmäßigkeit, der Maler des Bürgerkönigtums schlechthin, hergefallen. Später, als man sich vornehmlich mit seiner Malweise beschäftigte, hat man Ingres anders gesehen. So veröffentlichte der kubistische Maler André Lhote 1921 eine längere Studie,

in der er auseinandersetzte, in welchem Maß sich hinter der pseudoklassischen Pose eine durchaus moderne Anschauung verbarg, dergestalt, daß dieser brave Bürgersmaler, wie Lhote meinte, »die unmittelbaren Daten der Sensibilität« aufzeichnete.

Zwar stimmt das eine wie das andere, musterhaft jedoch ist Ingres aus einem anderen Grund. Im Porträt der Madame Moitessier gibt es einen Bruch, der sofort ins Auge fällt, wenn man der Darstellungsmethode nachgeht. Es handelt sich um die beiden Abbildungsverfahren, die im Porträt nebeneinander stehen. Die Robe der Madame Moitessier ist ein geblümter Stoff, von frappierender Realität und bis in die kleinste Falte als Seide kenntlich. Das gleiche gilt für den Armreif, kenntlich als Gold und Juwelen, für die Brosche, es gilt für den Fächer, für den Satin des Sessels und für den Spiegelrahmen. Sämtliche Gegenstände sind in ihrer Materiatur derart gegenwärtig, daß sie greifbar fast aus dem Bild treten. Anders sieht es aus, wenn Ingres den Kopf, die Arme und die Hände malt. Nicht allein, daß sie stofflos wirken, keine Haut also, kein Fleisch und kein Haar kenntlich werden: hier ist Sensibilität insofern im Spiel, als Ingres die Beschreibungsebene wechselt und mit einem Mal Kürzel, Übertragungen und Stilisierungen anbringt. Die tote Materie, mit einem Wort, läßt an Genauigkeit nichts zu wünschen übrig, die lebendige dagegen ist auf Chiffrierungen angewiesen.

Der Bruch stellt sich nicht nur bei Ingres ein, sondern überall dort, wo eine klare Malerei Gegenstände und Figuren in naturnahe Umrisse setzt. Man findet ihn des öftern im Verlauf der Kunstgeschichte: Raffaels große Bildnisse beispielsweise tragen ihn mit einer Unbekümmertheit zur Schau, die wie ein Kunstgriff anmutet. Bei Ingres aber setzt die Kunst streckenweise aus, besser: sie ändert ihr stilistisches Richtmaß, weil sich die Naturnähe und die Wahrscheinlichkeit ganz offensichtlich in die Quere kommen. So unbeweglich sitzt nun einmal keiner für immer in einem Sessel, so bewegungslos jedoch hängt für immer ein Spiegel an der Wand. Nimmt man den Kopf, den Arm und die Hände der Madame Moitessier als Einzelteile, so wird deutlich, daß sie aus Abstraktionen bestehen: der Arm, der zum Gesicht führt, ist eine jener weichen Kurven, die für Ingres typisch sind; er ist kaum modelliert, und die Hand ergibt, entgegen den anatomischen Vorschriften, ein knochenloses Gebilde. Diese drei Merkmale: die Kurven, die spärliche Modellierung, das Knochenlose, sind stets dann seine Verfahren gewesen, wenn Ingres Körper oder sonstwie Lebendiges zeigte. Sobald er aber totes Material abmalte, Textilien, Holz oder Metall, verzichtete er auf die Verallgemeinerung. Folglich ergibt seine Malerei Mischgebilde aus Denotation und Verschlüsselung, die geradezu nach einer Formel verlangt. Sie hat Ingres nur stückweise gefunden, und das macht seine Bilder exemplarisch.

3. Drei Tänzerinnen

Picasso hat lange gebraucht, um auf seine Formel zu kommen. Sie gleicht, in einer gewissen Weise, dem, was Baudelaire bei Ingres die Anwendung sukzessiver Methoden genannt hat, den Wechsel der Stilebenen also. Es ist das Problem der Verallgemeinerungen und der Materien, das Picasso allerdings, anders als Ingres, ebenso ins System gehoben wie auf den Kopf gestellt hat. Im Augenblick, da eine Bildersprache zur Debatte stand, mußte allgemeiner gefaßt werden, was sonst nur dinglich in Erscheinung trat. So ohne weiteres aber konnten die Dinge aus der Malerei nicht vertrieben werden, es sei denn durch eine vollständige Verallgemeinerung, die der Malerei, wie Mondrian und Malewitsch es zeigten, jede Bezeichnungsmöglichkeit genommen hätte. Das ganze Problem läßt sich vom anderen Ende her, von der Literatur nämlich, genauer darstellen. Kafka zum Beispiel oder Flaubert haben sich stets gegen die Illustration ihrer Bücher gewehrt. »Niemals«, schrieb Flaubert an Duplan, »wird man, solange ich lebe, ein Werk von mir illustrieren, denn: die schönste literarische Beschreibung wird verschlungen von der kümmerlichsten Zeichnung. In dem Augenblick, da ein Typ durch den Stift festgehalten ist, verliert er seinen Charakter der Allgemeinheit, diese Übereinstimmung mit tausend bekannten Figuren, die den Leser sagen läßt: ›Das habe ich schon gesehen‹ oder ›Das muß wahr sein‹. Eine gezeichnete Frau ähnelt einer Frau, das ist alles. Die Idee ist von dem Augenblick an in sich geschlossen, vollständig, und alle Sätze sind nutzlos, während eine beschriebene Frau an tausend Frauen denken läßt. Da dies eine Frage der Ästhetik ist, lehne ich strikt jede Art Illustration ab.«[2]

Behält man Flauberts Äußerung im Auge, so erweist sich Picasso als ein durch und durch literarischer Maler. Auch für ihn sollte eine gemalte Frau in einem Maß durchsichtig, unvollständig also und somit nicht geschlossen bleiben; sie sollte, wenn nicht an tausend Frauen, zumindest an einen Typ denken lassen, der seine Allgemeinheit nicht durch besondere Kennzeichen einbüßt. Die »Drei Tänzerinnen« in der Tate Gallery sind, entsprechend, kein Schaustück mehr, sie sind eine Entwöhnung. Diesen Tanz naturnah darzustellen, den Moment der Sprünge also für immer mit ausgemalten Gestalten zu fixieren, wäre ein Unding gewesen. Also setzte Picasso die Bewegung als ein Schema auf die Leinwand, das drei ebenso schematische Figuren bezeichnet. Es sind bald flache, bald glatte, bald von Ornamenten durchzogene Modelle, so körperlos, als wären sie aus Karton geschnitten. Gleichzeitig aber sind sie mit Zeichen versehen, die jeweils die Füße, Hände, Brüste oder Köpfe rudimentär bestimmen. Das Bild ist, dem Brauch der Zeit gemäß, unzusammenhängend gemalt, so daß erst bei genauerem Hinsehen die Gliedmaßen an ihren Platz rücken.

Aber gerade bei genauerem Hinsehen gefährdet das Körperlose, wie aus Karton Geschnittene, das Bild, denn die Figuren sind zwar verallgemeinert; keine Madame Moitessier, geborene Foucauld, ist gemeint: dafür aber bezieht sich die Verallgemeinerung zu sehr auf sich selbst. Um es mit Flaubert zu fragen: sind diese Tänzerinnen typisch? Wenn ja, dann nur, weil der Beschauer von außen jene Identifizierung in sie legt, die sonst in Bildern zwar körperhaft und stumm, immerhin aber enthalten sind. Wenn, um weiterzugehen, Heine in den Porträts eines Ingres determinierte Erscheinungen feststellte, über deren sozialen Stand er obendrein nicht lange nachzudenken brauchte, muß der Beschauer vor Picassos Bild die Erscheinung überhaupt erst dingfest machen. Er kann es ohne Zweifel, aber nur in dem Maß, wie er von dem Bild absieht und sich die Eigenheiten von Tänzerinnen ins Gedächtnis ruft. Sie kann er mit den Schemata auf dem Bild in Verbindung bringen. Er wird darauf kommen, daß die drei gemalten Figuren gleichermaßen ihre Bedeutung zurücknehmen und die Übereinkünfte, die hier wie ein Buchstabe Kopf, Hand, Brust oder Fuß bezeichnen, über Gebühr strapaziert worden sind: durch Einschränkungen, durch malerische Abweichungen, durch Picassos Individualität.

4. Doppelspiel

Nun hat gerade Picasso eine solche Reduktion nicht ohne weiteres verfolgt und seine Sprachversuche stets mit körperhaften Szenen und Figuren durchsetzt. 1910 malte er ein aufgesplittertes, kubistisches Porträt des Kunsthändlers Vollard, das sich der Lesbarkeit so weit wie möglich entzog; 1915 dagegen fertigte er eine Zeichnung an, auf der Vollard sitzend in voller Gestalt zu sehen ist, und zwar in jener Nähe, die auch die Zeichnungen von Ingres bestimmte. Man hat Picasso damals mit Ingres verglichen, ein Vergleich, der zu seinen Gunsten ausfallen mußte: in der Vollard-Zeichnung ebenso wie in den Strichporträts Strawinskys oder Saties lasten sich die Übereinkünfte und die Chiffrierungen tatsächlich aus: die toten und die lebenden Dinge sind auf der gleichen Stilebene durchgehalten. Diese Zeichnungen wirken ebenso virtuos wie schlüssig: doppeldeutig werden sie erst dann, wenn man sie in Beziehung zu einem kubistischen Porträt wie das Vollards setzt.

Mittlerweile weiß ein jeder, daß Picasso aus einer derartigen Ambivalenz seine Bildersprache und deren Korrekturen abgeleitet hat. Ihm lag selten daran, wie etwa Braque, Farbe, Form oder Ornament als eigenständigen Wert zu behandeln, ebensowenig wie er, im Sinne Kandinskys, den Malelementen symbolische oder affektive Funktionen zuschrieb. Zwar hat er nie geleugnet, daß eine Farbe oder eine Linie ebenfalls Dinge sind, die für sich stehen können, und in seinen kubistischen Bildern hat er es unter Beweis gestellt. Trotzdem ist er, wenn er die Malelemente freigab, darauf aus gewesen, mit diesen Elementen Realien ins Bild zu bringen. Seine Abneigung, abstrakt zu malen, ist ebenso bekannt wie die Tatsache, daß jene Realien keineswegs dem entsprachen, was als Welt der Dinge geläufig ist. Wie es das Bild mit den drei Tänzerinnen vorführt, erweist sich der Gegenstand als Schema, und die Malelemente, aus denen es besteht, mögen noch so sehr als valeurs plastiques, als bildnerische Werte gelten: sie sollen gleichzeitig, über die Schematisierung hinaus, für etwas anderes einstehen.

Dieses Andere ist nicht einfach mit drei Tänzerinnen, mit Tanz oder etwas Ähnlichem zu bezeichnen. Picasso selbst hat einmal Zervos die rhetorische Frage gestellt: »Glauben Sie, es geht mich etwas an, daß auf einem meiner Bilder zwei Menschen dargestellt sind?« Er spricht von einer Fiktion, von einer Idee zweier Menschen, die in der Darstellung zutage tritt, und er betont das Wort Idee ebenso wie das Wort Darstellung. Wenig später jedoch bemerkt er, daß es in der Malerei Konventionen gibt, die nicht zu übersehen sind. Er sagt nicht genau, ob er nun technische Gegebenheiten meint oder visuelle Übereinkünfte; es läßt sich aber, in Hinblick auf seine Bilder, leicht zusammenreimen, daß er damit abermals auf seine Sprachversuche, auf die Lesbarkeit seiner Bilder verweist. Fiktion und Übereinkunft allerdings ergeben ein Gegensatzpaar, das sich wechselseitig behelligt. Folglich tauscht Picasso mit Vorliebe die Materie dessen aus, was er definieren will: ein Kopf, eine Gitarre, eine Tomatenstaude ähneln sich zum Verwechseln. Dasselbe gilt für das, was Kandinsky den inneren Klang genannt hat, den Form- oder Farbeffekt also, der, laut Kandinsky, dem erinnerten Wort nahekommt: er geht bei Picasso in einem fort in sein Gegenteil über, sei es, weil er als Übereinkunft fiktiv ist, sei es, weil er sich als Fiktion auf Konventionen stützt.

Ein anderer von Picassos Aussprüchen lautet, am liebsten möchte er ein Stück Holz in die Luft werfen, damit es wie ein Vogel davonfliegt. Das aber heißt: wie künstlich ein solcher Vogel auch immer wäre, er ist als Vogel gedacht und nicht als Kunstfigur. Seine Alternative ist das Stück Holz. Daraus muß sich zwangsläufig ein Doppelspiel ergeben: ein Fahrradsattel und eine Lenkstange werden zum Stierkopf, ein Spielzeugauto wird zum Affenschädel. Ob Ölfarbe oder Realie, es handelt sich stets um eine Definition und deren unverzügliche Annullierung. Es liegt auf der Hand, daß sich Picasso damit der Grenzen gewahr wird, die ihm die Malerei zieht. Das Besondere wird weniger verallgemeinert, als daß es in ein Besonderes anderer Art übergeht.

5. Ideen

Jede Picasso-Ausstellung bringt folglich Verschiebungen ans Licht. Das Malelement steht nicht mehr rein da, wie es die Kubisten verlangten, sondern als Teil einer Darstellung. Die Darstellung jedoch zieht sich vom Dargestellten aufs Malelement zurück. Die drei Tänzerinnen könnten durchaus ein barbarisches Ballett sein; auf den Tanz aber soll man sie nicht festlegen. Genausogut hätte das Bild einen anderen Namen tragen können, und tatsächlich ist Picasso mit dem, was er ins Bild brachte, ein Meister paradoxer Bezeichnungen gewesen. Von Gertrude Stein sagte er höhnisch, sie sei ihm mit der Mitteilung gekommen, endlich habe sie sein Bild mit den drei Musikanten verstanden. Es sei ein Stilleben.

Man hat aus dieser ambivalenten Darstellungsweise Picassos eine Tugend gemacht, etwas zu voreilig, wie es scheint. Er selber dürfte sie oft als Not empfunden haben: anders lassen sich die wiederholten Ausflüge in eine realistischere Malerei nicht erklären. Man kann nicht im gleichen Atemzug Übereinkünfte setzen und annullieren. Allenfalls wiederholt Picasso die Methode der Hieroglyphen, die zu dinghaft sind, um Alphabet zu sein, und zu abstrakt, um als Gegenstände zu gelten. Ihre Lesbarkeit setzt voraus, daß ein jeder Picassos Chiffrierungen in einer Weise folgt, als gäbe es nur diese Bildersprache und andere Schriften, Formeln, Imagines oder Bildsysteme wären dem Beschauer fremd. So aber, wie Picasso es verlangt, liest heute keiner mehr. Das wiederum weiß Picasso am besten: will er deutlich werden, greift er auf Körper und

Dinge in ihrem naturhaften Schein zurück. Meistens aber besteht seine Malerei aus Mitteilung und Dementi in einem. Es soll etwas gesagt werden, es soll jedoch, so wie es gesagt worden ist, nicht zu verstehen sein.

Gino Severini hat Picasso in den dreißiger Jahren vorgeworfen, daß er in der Kunst nicht die Malerei, sondern die Idee suche. Dergleichen, das ist wahr, hätte Picasso nie abgestritten. Severini meinte allerdings eine Art Bilderflucht: indem Picasso eine Idee ausdrücke, verwerfe er die Materie, die Kunstfertigkeit und äußere sich in Zeichen und Symbolen, die »keine Kunstwerke im eigentlichen Sinn sind, sondern Anspielungen, Hinweise und Andeutungen von Kunstwerken, die er verwirklichen könnte, wenn er sich dazu hergäbe, sie zu malen«.[3] Zieht man den verärgerten Ton ab, den Severini als Vertreter einer neuen Klassik anschlägt, so hat seine Beobachtung etwas für sich. Nur fragt es sich, was Severini unter einer Idee versteht. Anders gesagt: solange Picasso tatsächlich einer Idee nachhängt, bleibt das seine Sache und ist für das Bild ohne Belang, es sei denn, diese Idee tritt im Bild zutage. Das aber läßt sich so einfach nicht feststellen. Was wäre, wenn es vielmehr zu Picassos System gehörte, Bilder nicht zu Ende zu malen, damit man in ihnen Ideen sieht? Mit einem Wort: abermals geht es um das Prinzip, daß Picasso etwas sagt, das Gesagte aber als unzulänglich empfindet und durchstreicht.

6. Bild und Abbild

Der Tausch von Bild und Abbild, von Zeichen und Bezeichnetem, die Verkoppelung verschiedener Materien führen auf Picassos Einstellung zurück, daß Malerei nicht nur Sprache, sondern auch Sprachlosigkeit ist. Die Definition, die an die Stelle einer Sache tritt, zählt nur dann, wenn sie sich selbst aufhebt. Zwar muß sie erst einmal hergestellt werden, aber schon in der Herstellung steckt der Zweifel, was ihre Aussagekraft betrifft. Ein Spielzeugauto, das als Affenkopf dient, löst mit diesem Transfer auch seine Definitionsmöglichkeiten auf: wenn ein Spielzeugauto ein Affenkopf sein kann, so baut man am besten weder auf das eine noch auf das andere; man tut gut daran, den Definitionen und Begriffen ebenso zu mißtrauen wie den Gegenständen, die ihr Anlaß sind.

Damit aber hat es nicht sein Bewenden. Wie es das Beispiel der Zeichnung vom sitzenden Vollard zeigt, ist Picasso oft genug bereit, Realitäten in eine ungebrochenere Fassung zu bringen. Mehr noch: im Gegensatz zu denen von Klee beispielsweise oder von Max Ernst, wirken seine Sprachanfechtungen bestürzend real. Es sieht so aus, als wolle er zuweilen seine Kunstfertigkeit gegen sich selber richten: das Spielzeugauto als Affenkopf ist zwar in der Skulptur ohne weiteres wiederzuerkennen, gleichzeitig ergibt es, im neuen Zusammenhang, nachdrücklich und unwiderlegbar einen Affenkopf. Hier liegt seit je Picassos Intensität: seine Verzerrungen und Transfers sind, sobald man sich auf die Methode einläßt, auch in der bizarrsten Anordnung folgerichtig, ja greifbar, soweit, daß sie Einsprüche von der Art, wie Berger sie formulierte, durch ihr bloßes Vorhandensein zunichte machen können. Was dagegen Berger, allgemein gesehen, Recht gibt, sind die Quantitäten, die Bildermengen also, die den Qualitäten insofern Abbruch tun, als solche Vervielfältigungen nicht mehr einzelnen Imagines oder Darstellungen zugute kommen, sondern lediglich das Verfahren bloßlegen, nach dem sie angefertigt worden sind. Genau hier kommt eine Gegenwirkung zustande: ist man dem Verfahren einmal beigekommen, verliert es seine Beweiskraft.

Das Verfahren rückt zumal dort in den Vordergrund, wo Picassos Andeutungen und gewollte Brüche, als vertauschbare und paradoxe Figuren, im Ungefähren stekkenbleiben. Läßt man jedoch, als Beschauer, vom Verfahren ab und geht gleichermaßen über die Vagheit hinweg, womöglich um sie abzurunden, so ergibt sich eine Konventionalität, die nur deshalb weniger konventionell wirkt, weil sie im Ungefähren steckenblieb. Der Surrealist Luis Fernandez hat einmal eine Zeichnung von Picasso, eine jener flüchtigen, auf Kürzel beschränkten und als Musterexemplar genialischer Handschrift gepriesenen Skizzen, zu Ende gebracht und vervollständigt. Er hat nichts von sich aus dazu erfunden, sondern lediglich die Andeutungen ausgeführt. Das Ergebnis ist, zusammen mit dem Original, in den Cahiers d'Art veröffentlicht worden: es gleicht einer Reklamezeichnung aufs Haar. Ein andermal hat Magritte Picassos Methode in ein paar eigenen Bildern demonstriert, wobei man nicht weiß, ob Magritte nicht doch eine Huldigung im Sinn hatte oder ob er geradlinig eine Parodie zur Schau stellen wollte. Auf jeden Fall hat er Picassos Sprachprobleme abermals in eine Bildersprache übersetzt, die, im Gegensatz zu Picasso, das heißt: ihn karikierend, Bedeutung und Bedeuten sorgfältig auseinanderhält.

So hat Magritte 1928 ein Bild gemalt, auf dessen lasiertem Hintergrund zwei pastose Flecken dadurch plastisch wirken, daß sie Schatten werfen. Unter den einen Fleck schrieb er »Der Wind«, unter den anderen »Die Normandie«. Ein andermal hat er vorgeführt, was Severini Ideen nannte, eine akkurat gemalte Pfeife nämlich, derart handgreiflich, daß man glauben konnte, sie ließe sich von der Leinwand abheben. Darunter schrieb er: »Das hier ist keine Pfeife.« Die Inschrift bezeichnet eine Binsenweisheit: natürlich ist das gemalte Bild eine Darstellung und kein Rauchutensil. Die Selbstverständlichkeit jedoch gab Magritte offenbar den Gedanken ein, solche Trennungen lehrerhaft, wie auf einer Schautafel, vorzuführen, diesmal nicht mit einem gemalten Ding, unter dem die Negation steht, sondern mit heterogenen Paarungen. Er malte ein Pferd und schrieb auf englisch darunter: »Die Tür«. Er malte eine Wanduhr und schrieb, ebenfalls auf englisch, darunter: »Der Wind«. Er malte einen Krug und schrieb darunter: »Der Vogel«. Damit aber auch ein jeder weiß, warum das Bild gemalt worden ist, malte er als letztes einen Koffer und schrieb darunter: »Der Koffer«.

7. Höhepunkte

Mit diesen Bildern deckt Magritte ohne Absicht einen naheliegenden, aber gern übersehenen Sachverhalt auf: daß Picasso mit der Fiktion seine Schwierigkeiten hatte und sich dafür, auch wenn er sie verwischte, an die Übereinkünfte hielt. Man kann es auf die Spitze treiben: der, wie es heißt, genialste Maler des Jahrhunderts war auch der banalste. Nur liegt es in der Natur der Sache, daß Picassos Werk einen Umkehrschluß zuläßt. So herabwürdigend nämlich, wie es von Puristen behauptet wird, ist eine solche Banalität in keiner Weise. Sie ist, wenn man sie in den richtigen Bezug setzt, sogar streitbar gewesen. Natürlich verkörpert Picasso über Strecken hinweg die Aporie einer auf sich selbst gerichteten Kunst; gleichermaßen aber hat er verschiedentlich Anstalten getroffen, sich von ihr abzuheben. Um 1910 geriet die Malerei zunehmend unter Verschluß: die Mittel, Bilder herzustellen, wurden ihrerseits zum Bild. Damals erklärte Maurice Raynal im Namen der Kubisten, ein Bild sei ein Bild, wie eine Gitarre und ein Würfel eine Gitarre und ein Würfel sind, ein bestimmter Gegenstand also, der nichts kopiert oder imitiert. Sprachprobleme, ja simple Darstellungsfragen, wurden von einer hartnäckigen Orthodoxie als kunstfremd hingestellt. Allein, schon in Picassos streng kubistischen Bildern schlug, sei es als Materie, sei es als visuelle Andeutung, eine zwar fragmentarische, doch robuste Realität durch. Sie trat um 1915 unumwunden in Erscheinung: mit den ingreshaften Zeichnungen, die sich auf traditionelle Formen, auf Naturnähe und Ähnlichkeit beriefen. Damit kam Picasso auf die darstellende Funktion der Malerei zurück, derart kraß mitunter, daß er vor keiner Trivialität zurückschreckte.

Es hat sich aber erwiesen, daß dieser Sprung weiter führte, als die Ordnungsbegriffe einer sprachlosen Kunst. Er hat ihn bald darauf zurückgenommen, das zeigen die Bilder: besser aber, so zumindest sieht es aus, wenn man auch das in Betracht zieht, was er gelegentlich zu den Bildern sagte, ist ein Balanceakt als eine tote, die Oberfläche gliedernde Malerei. Abstrakte Kunst, so heißt es in dem Gespräch mit Zervos, ist nichts als Malerei: wo bleibt das Drama. Der Balanceakt hat eine Vielzahl von Arbeiten zur Folge gehabt, deren Zweideutigkeit nur durch eine gewaltsame Malweise, durch Geschwindigkeit, durch Ticks oder durch ein erzwungenes System von Deformationen im Bild zu halten waren. Hinter den Manierismen steckt jedoch noch immer der Realist, dem sein Unglaube zu schaffen macht.

Denn eines ist sicher: die Frivolität, genauer: das Disneyhafte der Faune oder die Plattheit der Sylvette-Bildnisse, verschleudert den Höhepunkt seiner Malerei, den, der den Balanceakt ins Lot brachte. Kurz vor Kriegsausbruch und während des Krieges hat Picasso jene im Wortsinn fassungslosen Frauen gemalt, die, aus der Anatomie herausgedreht, Panik wiedergeben. Im Frühjahr oder im Sommer 1940 entstand ein monströser Akt, »Sich kämmende Frau« betitelt, der nur aus Verstümmelungen besteht; 1941 und 1942 malte er eine Frau im Lehnstuhl, de-

ren verquollene Tierhaftigkeit durch einen Modehut auf-
gefangen wird. Der Hut weist darauf hin, daß diese Frau
vor Angst ins Tierische gekehrt worden ist, wie Picasso
überhaupt mit falschen Perspektiven, mit Illustrationen,
die, wie die Nageltränen der weinenden Frau von 1937, offen allegorisch sind oder mit diesmal nicht kubistisch wirkenden Zerstückelungen, die katastrophale Wirklichkeit
antizipiert und ächtet. Das Autobiographische verliert
seinen legendären Anstrich; es schlägt sich, zumal mit den
Gestalten, die Dora Maar verkörpert, in einem Symbolko-

dex nieder, der auch dort, wo er zurückgenommen wird, durch die Zurücknahme um so nachdrücklicher wirkt.

8. Thema und Variationen

Berger steht auf dem Standpunkt, daß Picasso ein Maler ohne Thema sei: fände er eins, so kämen Glanzstücke heraus, habe er keins zur Hand, bliebe er ein malender Narziß. So einfach allerdings ist das nun leider nicht. Das »Beinhaus« beispielsweise aus dem Jahr 1945 ist lediglich eine Wiederholung von »Guernica« und so, wie das Bild im Museum of Modern Art »Guernica« schräg gegenüberhängt, beeinträchtigt es sogar das Original. »Krieg« und »Frieden«, zwei Monumentalgemälde, sind von den Disney-Figuren aus Antibes bevölkert. Umgekehrt sind die Stilleben der Kriegsjahre keine Themen im Sinne Bergers, ihre Stichhaltigkeit jedoch steht außer Frage.

Bergers Bemerkung bekommt eher einen Sinn, wenn man statt Thema Motiv sagt. Motiv war das Schlüsselwort Cézannes, gemünzt auf Naturausschnitte, etwas anderes also als das, was Picassos Bilder zeigen. Gerade der Unterschied ist von Belang, mehr noch: er führt in einen größeren Zusammenhang. Picasso verallgemeinert, indem er negativ verfährt: er zieht malend die Dinghaftigkeit seiner Vorlagen in Zweifel; er nennt das Fiktion. Auf der anderen Seite bleiben die Übereinkünfte, an die er sich hält, Übereinkünfte im zweiten Glied; sie stammen oft aus dem Museum, und Wahrnehmungen sind sie nur in einer untergeordneten Weise. Lhote hat in Ingres den Vorfahren Cézannes gesehen, und hier wird Picassos Gegenposition deutlich. Ingres, so sagte Lhote, dachte zwar stets an Raffael, ohne Modell vor Augen tat er jedoch keinen Strich. Er war insofern vom Äußeren abhängig, als keins seiner

Bilder im Kopf entstanden ist: er glaubte allein, was er sah oder was er zu sehen schien. Auch Cézanne leitete vor dem Motiv seine Bezeichnungen ab; er erfand eine Art Sehmanöver.[4] Dieses Beharren auf der »sensation«, auf dem Wahrnehmen als Anlaß für Übersetzungen, ist nach Cézanne zum Stillstand gekommen, und die Kubisten, die sich anfangs auf ihn beriefen, haben nicht nur die Gegenstände gemalt, die sie sahen, sondern, laut Apollinaire, das, sie von ihnen wußten. Die Unschuld Cézannes dem Naturbild gegenüber stand ihnen aus guten Gründen nicht mehr bei. Ihre Modernität äußerte sich nicht zuletzt in der Einsicht, daß es ohne Vermittlungen kein Naturbild gäbe und diese, nicht die Natur, das wirkliche Thema sei.

Was Picasso von seinen kubistischen Kollegen oder, später, von den meisten Malern der École de Paris abhob, war eine andere Auffassung des von Apollinaire so genannten Wissens. Man darf nicht vergessen, daß, parallel zum Kubismus und in der Folgezeit, die Photographie überhand nahm und der Film in Kraft trat, die beide nicht nur schlagendere Bilder in Umlauf brachten, sondern auch, wie Benjamin es nannte, eine größere Analysierbarkeit des Gezeigten. Das Wissen, das sie entließen, war dem der Malerei überlegen. Gegen diese mechanisierte Bilderwelt aus Denotationen hat Picasso nur in geringem Umfang polemisiert. Es sieht vielmehr so aus, als habe er sich der Faszination solcher Massenbilder nicht entziehen wollen; gleichzeitig muß er sich in einem fort Gedanken darüber gemacht haben, was solche Denotationen tatsächlich übermitteln und der Analysierbarkeit freigeben. Ein Photo, das stimmt schon, bleibt an einer oberflächlichen Tatsächlichkeit hängen, aber kann hier nicht so etwas wie Rousseaus volonté générale an den Tag kommen, eine Verallgemeinerung, die auf die Allgemeinheit zielt? Die Tatsache, daß sich Picasso für keine Banalität zu schade war, zeigt, daß er etwas Ähnliches im Sinn hatte. Nur hat er seine Vorschläge, sich mit Tatsächlichkeiten abzugeben, in Brechungen, ja in Aufhebungen vorgeführt. Die Demontagen dürften kritisch gemeint gewesen sein. Denn die volonté générale, so kann man es ohne weiteres verstehen, ist in der vorhandenen Gesellschaftsformation die Ausbreitung der herrschenden Gedanken, alles andere also als Rousseaus Ideal. Sie anzufechten, als Gedanken der Herrschenden, könnte am Ende einem wirklichen Gemeinsinn zugute kommen. So ausdrücklich hat Picasso davon nicht gesprochen; er hat es aber, selbst mit seinen Verschleuderungen, zur Schau gestellt und dadurch, daß er als Person auf die Seite der Beherrschten trat, unterstrichen.

Dalí im Gegenlicht

1. Orwell und Wilson

Dalís fanatisches Amoralisieren hat stets Stimmen laut werden lassen, die ihm genau das vorzuwerfen pflegten, was er sich als Vorwurf wünschte. So hat George Orwell, mit dem Kunstgriff, Dalí wörtlich zu nehmen, anläßlich der Autobiographie von Obszönität und Nekrophilie gesprochen, von einem Buch, kurz, das stinkt. Dazwischen allerdings fallen Sätze, die dem Maler Dalí die Fähigkeit als Maler einräumen: »Er ist ein Exhibitionist und ein Karrieremacher, aber kein Scharlatan. Er hat fünfzigmal mehr Talent als alle Leute, die sich über seine Moral entrüsten und über seine Bilder lachen.«[1] Diesem Verdikt, das stimmt schon, ist einiges hinzuzufügen. Orwell spricht vom *Secret Life of Salvador Dalí*, indem er es als literarische Arbeit und als Dokument liest, was, in seiner Sicht, die Frage nach der Kategorie des Malers ausschließt. Ähnlich verfährt Edmund Wilson in einer Besprechung von *Hidden Faces:* er macht deutlich, daß der schreibende Dalí zu wünschen übrig läßt; anders als Orwell aber nimmt er schockierende Stellen nicht wörtlich, sondern bringt sie mit dem perversen Adelsdünkel eines Barbey d'Aurevilly, mit dem erotischen Mystizismus eines Villiers de L'Isle-Adam und mit der artifiziellen Wahrnehmungswelt eines Huysmans in Verbindung. Am Ende aber spricht auch Wilson von Dalís Talent, genauer: von jenen Qualitäten seiner Bilder, die sich auf technische Versiertheit zurückführen lassen.[2]

So richtig es ist, daß Orwell und Wilson von außen Kritik üben, Dalís literarische Arbeiten also und nicht seine Bilder verwerfen, so pflichtvergessen wäre es, in diesen Befunden nicht nach Hinweisen zu suchen, die auch für die Bilder gelten könnten. Sollte mit ihnen nicht ein Schock Triumphe feiern, der, einmal vorüber, nichts anderes zurückläßt als die Stimmungslage einer verflossenen französischen Literatur? Ist Dalís technisches Vermögen mehr als bloße Versiertheit oder kommt mit ihr eine ganze Ästhetik an den Tag? Wo gelingt Dalí der Durchschlag einer Welt der Dinge und wo veräußert er sie? Die Fragen haben mit dem Amoralisieren nur indirekt zu tun. Wer allerdings das Amoralisieren und die von Orwell kritisierten Anrüchigkeiten aus dem Blickfeld rückt, macht sich einer Unterlassungssünde schuldig. Der Maler Dalí hat einmal, eher kurz- als langfristig, eine Darstellungsweise aufgebracht, der nachzugehen einige Bogenwege verlangt. Ein Bild wie »Der Krieg« oder »Die Metamorphose des Narziß« ist nicht nur thematisch anders geartet als, von späten Bildern zu schweigen, das aus Möbeln bestehende Gesicht der Mae West. Wenn Dalí in einem Aufsatz aus dem Jahr 1936, der den bezeichnenden Titel »Ehre dem Gegenstand« trägt, meint, der surrealistische Gegenstand existiere lediglich um der Ehre des Denkens willen, so fragt es sich, was für ein Denken den Gegenstand trägt und in welcher Weise er von diesem Denken sei es bestimmt, sei es beeinträchtigt worden ist.

2. Geld

Nicht auf Verständnis, sicher aber auf Popularität, besser: auf eine Popularitätsstrategie, hatte es Dalí schon immer angelegt. Erst jetzt, nach Jahr und Tag, zeigt sie, dank einer wahren Bücher- und Kunstdruckschwemme, eine Wirkung. Die Kunstwelt im eigentlichen, im engen Sinn also, bringt das in Verlegenheit. Ähnlich wie für Orwell, mit etwas anderen Zuspitzungen, galt und gilt ihr Dalí als suspekte Figur. Allenfalls ein paar von der surrealistischen Orthodoxie genehmigte Bilder sind ihr als Zeigestücke gut genug. Der Rest geht, so heißt es, unter in Schaustellungen, Selbstannoncen und Mystifikationen, die Dalí in einem fort inszeniert. Es müssen die falschen sein, denen sich die Kunstwelt, sonst jeder Mystifikation zugetan, derart unnachgiebig verschließt.

Dabei geht es, genaugenommen, nicht um Mystifikationen, sondern ums Gegenteil. André Breton hat 1949, als Anagramm aus dem Namen Salvador Dalí, das Spottwort *Avida Dollars* geprägt, das Dalí in seiner Geldgier treffen sollte. Dalí selbst ist Breton, dadurch daß er nicht müde wurde, von Geld zu reden, mehr als den halben Weg entgegengekommen. Ein Ratschlag an die Kollegen lautete, ein Maler solle seinen Rat befolgen und lieber reich sein als arm. Daran hat sich Dalí auf jeden Fall gehalten, was ein paar Beutezüge zur Folge hatte, über die er sich des langen und des breiten ausließ. Daß damit etliche Gepflogenheiten des Kunsthandels und des Kunstsammelns ans Licht kamen, hat die Sache nicht besser gemacht. Idealismus in einem moralischen Sinn ist stets für die Kunstwelt eine Existenzfrage gewesen: Geldgier, Spekulation und vermögende Kunden sind ihr zwar vertraut, nur geht das die Öffentlichkeit nichts an. Die Kunstwelt lebt von der Vorstellung, das heißt: von der Vorstellung, die man sich über sie machen soll, derzufolge Genie und Geld Größen sind, die nur lockere, eher zufällige Beziehungen miteinander unterhalten. Mag sein, daß in den letzten Jahren auch hier gröbere Verhaltensweisen üblicher geworden sind; eines aber ist ein Tabu geblieben: kein wahrer Künstler tut es für Geld.

Auf ein paar bemerkenswerte, der kunstwelthaften Meinungsbildung nicht zuträgliche Dinge hat der Sammler A. Reynolds Morse in einem Aufsatz hingewiesen. Dalí sei, so heißt es, ein Kaufmann par excellence, er verlange phantastische Preise und erhalte sie auch. Aber nur sehr wenige seiner Bilder sind auf dem konventionellen Kunstmarkt verkauft worden. Einige Spekulanten hätten versucht, sich finanziell an Dalís Ruhm zu beteiligen, doch sie haben feststellen müssen, daß ohne den Vorteil von Dalís persönlicher Geschäftstüchtigkeit viele Faktoren ihr Spiel durchkreuzten. Die erfahreneren Händler wiederum seien nicht in der Lage, Dalís persönliche Reklame finanziell auszuwerten, was dazu führt, daß sie seines glatten Stils und seiner blanken Oberflächenbehandlung wegen bei jeder Gelegenheit ihre Bedenken äußern. Morse schließt mit den Worten: »Da Dalí niemals einen Paul Rosenberg gehabt hat, der seinen Markt hochtreibt, verdächtigen ihn die Händler genau wie die meisten Museumsdirektoren des Schwindels aller Art, mit den Farben, mit dem Firnis, mit den Themen und mit den Preisen. Doch das liegt einfach daran, daß Salvador Dalí immer sein bester Verkäufer gewesen ist.«[3] Paul Rosenberg war in den dreißiger Jahren einer der führenden Pariser Kunsthändler; André Breton übrigens auch.

3. Der abgespannte Surrealismus

1928, als Dalí Kontakt mit Breton aufnahm, waren die Surrealisten in mehr als einer Hinsicht gebrannte Kinder. Nach und nach hatten sich die ursprünglichen Postulate mit Zweifeln durchsetzt. Das Dokument jenes Zustands ist Aragons im gleichen Jahr erschienener *Traité du Style*, der auch Abrechnungen mit den frühen surrealistischen Mythen enthält. Über den Rimbaudkult heißt es, jeder

Dummkopf, glücklich über das Motorrad, das er zum Geburtstag geschenkt bekommen hat, hielte Rimbaud für so etwas wie sein anderes Ich. Über die psychoanalytische Kunstinterpretation: der Kitschroman *Paul et Virginie* würde sensationell wirken, wenn Virginie sich nur ein paar Gedanken über Bananen machte und Paul sich beiläufig einige Zähne ausrisse. Über die Écriture automatique: man brauchte den Trick nur zu kennen und schon könne ein jeder Werke von großer poetischer Schönheit wie einen Durchfall produzieren. Über die surrealistische Revolutionsidee: es ist lächerlich anzunehmen, daß das Denken unmittelbar und in jedem Augenblick vollstreckbar sei.

Breton hatte 1924 im ersten surrealistischen Manifest den Satz aufgestellt, daß es künftig eine Übereinstimmung der scheinbar so gegensätzlichen Zustände wie Traum und Wirklichkeit geben müßte, und zwar in einer Art absoluter, in einer Über-Wirklichkeit. Der Satz hatte einen offen utopistischen Charakter, was Breton nicht hinderte, ihn seinen Strategien innerhalb der gegebenen Wirklichkeit programmatisch voranzustellen. Bei einer anderen Gelegenheit hatte er erklärt, die Forderung von Marx, die Welt zu verändern, und die Forderung von Rimbaud, die Poesie zu verändern, seien für ihn ein und dieselbe Sache. Es ist gar nicht einmal so interessant, daß im Surrealismus die erwünschte oder absolute Realität stets mit der gegebenen in Konflikt geriet: was schwerer wog, war der Umstand, daß Breton und die Surrealisten nach ihren Provokationen, politischen Gastspielen und einer Lyrik, die, wie Breton verlangte, »zu etwas führen sollte«, den Weg nach innen antraten. Die absolute Realität tauchte jetzt als literarische Verfremdung, als Metonymie auf, nicht mehr als Triebkraft surrealistischer Aktionen. Dadurch aber geriet die Polemik mit der Außenwelt in den Hintergrund, soweit, daß Breton zunehmend

Gefahr lief, die Außenwelt überhaupt aus dem Blick zu verlieren. Dalí fand folglich einen Surrealismus vor, der unter der Belastung seiner eigenen Mythologie litt.

4. Kritische Paranoia

Es ist bezeichnend und für die späteren Auseinandersetzungen von Belang, daß sogar die Surrealisten angesichts der präzis gemalten Ungereimtheiten nicht ohne Betroffenheit reagierten. Was Dalís Zugang jedoch den Reiz verlieh, war ein theoretischer Beitrag, der zur rechten Zeit kam und Bretons Grübeleien abermals einen Schwerpunkt zuwies. Dalí entwickelte eine Wahrnehmungs- und Ausdeutungsmethode, die er die paranoisch-kritische Aktivität nannte. »Meine Methode«, so sagte er später, »besteht darin, daß ich auf spontane Weise die irrationale Erkenntnis erkläre, die aus den wahnhaften Assoziationen erwächst, indem ich eine kritische Interpretation des Phänomens liefere. Die kritische Hellsichtigkeit erfüllt die Rolle eines photographischen Entwicklers.«[4]

Die Psychiatrie kennt den Zwang des Paranoikers, die Wirklichkeit nach einem ihm eigenen System willkürlicher Besetzungen förmlich in Beschlag zu nehmen. Eine jede Wahrnehmung fordert seine Selbstbestätigung heraus, so daß er sich genötigt fühlt, mit eigenen, in ihrer Anordnung systematisch wirkenden Sinngebungen zu antworten. Zwar bleibt sein System ein Wahnsystem, es kann aber durchaus geschlossen und nach außen hin plausibel anmuten, derart, daß es der normalen Wirklichkeit nicht nur überlegen scheint, sondern ihr Bedeutungen zuweist, die genauso logisch miteinander verknüpft zu sein scheinen wie die normalen Bedeutungen. Dalí hat die Paranoia nicht klinisch verstanden wissen wollen, obwohl er ihre klinischen Symptome genau beobachtet hat; vielmehr ging es ihm, mit einer ästhetischen Kehre, um einen Voluntarismus, der aggressiv auf die Zusammenhänge der wirklichen Welt Einfluß nimmt und sie aufs neue ins System hebt. Hier liegt der Unterschied zu den Praktiken, die bisher der Surrealismus eingeübt hatte: anstatt sich passiv dem psychischen Automatismus oder dem Traum auszusetzen, sollte der Surrealist jetzt interpretierend, mitunter auch das Wahnsystem simulierend, in die Wirklichkeit eingreifen. Daher das Beiwort »kritisch«: die paranoische Wirklichkeitsverarbeitung wird dem rationalen, zweckgebundenen Wirklichkeitsbegriff entgegengehalten. Der Wahn soll die Vernunft außer Kraft setzen.

In seinen strikt surrealistischen Schriften besteht Dalí auf der unmittelbaren Wahrnehmung. Aber gleichzeitig soll die Wahrnehmung wahnhaft sein, die Unmittelbarkeit also eingestellt. Was als Wirklichkeit gilt, wäre demnach das Projektionsfeld der Imagination. Auch soll die Unmittelbarkeit gewährleisten, daß die Wirklichkeit außerhalb ihrer Kausalität erkannt wird: das Spontane, so lautet die meist unausgesprochene Voraussetzung, ist das Gegenteil eines willentlich geleiteten Denkens; dieses Denken wiederum ist für Dalí der Inbegriff einer platten Rationalität. Der Kurzschluß einer solchen Beweisführung bedarf keines Kommentars. Von einer Beziehung der spontanen Wahrnehmung zum Bewußtsein, zum unglücklichen Bewußtsein gar, weiß Dalí nichts oder er will davon nichts wissen. Brechts brutaler Satz, der Künstler schöpfe aus seinem Unbewußten meist auch nur Irrtümer und Lügen, weil er nur herauslöst, was ihm, meist sehr bewußt, hineingelegt worden ist, hat für die Surrealisten nie Geltung gehabt. Trotzdem ist Dalís Methode kritisch zu nennen. Man braucht nicht so weit zu gehen, wie der gewiß unverdächtige René Crevel, der Dalí einen Anti-

Obskurantismus bescheinigte, dadurch zumal, daß er umgekehrt die bürgerliche Vernunft restriktiv und antireali-
stisch nannte: sicher aber ist, daß im paranoisch-kriti-
schen Verfahren eine Zersetzungsabsicht steckte, die auf
die Gemeinplätzigkeit, auf die Spielarten des Nützlich-
keitsprinzip zielte, mit denen Positivisten und Synkreti-
sten das Denken belegten.

5. Antibürgerlichkeit

Crevel stellt Dalí der »alten Schachtel Vernunft« ebenso
gegenüber wie der Nachkriegsunruhe jener Bürgerskinder, die, wie er sagte, sich in Reuebekundungen flüch-
teten.[5] Er spricht hier, ähnlich wie die Surrealisten bei
anderen Gelegenheiten, mit deutlich anarchistischen Ober-
tönen. Es ist nicht immer leicht gewesen, solche Verlautba-
rungen politisch zu lokalisieren, und es lag in der Absicht
der Surrealisten, daß sie nicht lokalisierbar sein sollten.
Im nachhinein wird deutlich, daß hier bürgerliche Intel-
lektuelle sprachen, deren Aufsässigkeit fast zwangsläufig
in einem schon von Baudelaire vertretenen Aristokratis-
mus umschlagen mußte, einen mit ästhetischer Zielset-
zung. Es steht außer Zweifel, daß diese Kritik an der Bourgeoisie als ideologische, moralische oder künstlerische In-
stanz meist treffend, oft sogar schlagend war, nur steckt
auch in Crevels Aufsatz ein Widerhaken: haben sich nicht
ebenso wie die Bürgerskinder die Surrealisten, anstatt
nach vorn, in die Selbstreflexion über das eigene Tun ge-
flüchtet? Gewiß, dergleichen haben sich die Surrealisten
auch selber gefragt, und die Antwort oder das Ausbleiben
einer Antwort hat immer wieder zu Krisen, Ausschlüssen
und Trennungen von der Gruppe geführt. Aber die inneren Zwiste brachten keine Klärung nach außen: im

Grunde lief die Antibürgerlichkeit auf die Fortsetzung jener von Baudelaire, von Pater, von Nietzsche verfochtenen Freistellung hinaus, dergemäß der Künstler das Recht hat, sich den Instanzen der bürgerlichen Wertbegriffe zu entziehen. Entsprechend lautete ein Manifest von Dalí, 1939 in New York veröffentlicht: *Declaration of the independence of the imagination and the right of man to his own madness.*

Nur ist Dalí weitergegangen als seine Freunde, und gerade dieser Übersprung hat sie zu seinen Feinden gemacht. Der Widerstand gegen das bürgerliche Denken eines Julien Benda, eines Alain, war eine Sache; eine andere war, mit wem man darüber hinaus paktierte. Während Breton sich damit befaßte, nach möglichen Partnern für eine antibürgerliche Ästhetik Ausschau zu halten, und dabei auf dem linken Flügel mehr als ein politisches Verwirrspiel veranstaltete, ging Dalí einen geraderen, aber entgegengesetzten Weg. Sein Anarchismus, ein gesellschaftspolitisches Neutrum, schlug nach rechts aus, mehr noch: im Bestreben, alles, wie er sagte, anders als seine Vorgänger zu machen, nahm er für zwielichtige Interessen Partei, von denen die Monarchie noch die harmloseste ist. »Salvador Dalí«, so schrieb er, »Monarchist und Anarchist, folglich Gegner der Konsumgesellschaft, ist natürlich gegen mechanische Fahrzeuge, denen er einen Triumphwagen vorgezogen hat und statt eines Chauffeurs: eine Königin GALA... Ich bin immer zugleich Anarchist und Monarchist gewesen. Vergessen wir nicht, daß die beiden Schöpfer des Anarchismus Fürst Kropotkin und Fürst Bakunin waren. Ich bin und war stets gegen die Bourgeoisie.«[6]

Es gibt ein besonders umstrittenes Beispiel für eine solche Haltung. In den dreißiger Jahren hat Dalí, zum Entsetzen seiner surrealistischen Freunde, in Gesprächen und Artikeln, bewundernde Worte für Hitler gefunden; er hat Hitlers Figur gemalt, beides Handlungen, für die ihn die Surrealisten zur Verantwortung zogen. Dalí bestand darauf, daß sein Interesse an Hitler strikt paranoisch und unpolitisch sei, daß, für ihn, der Blick und der fleischige Rücken Hitlers unwiderstehlich poetisch wären, was ihn in keiner Weise hindere, Hitler politisch zu bekämpfen. In seinem *Tagebuch eines Genies* kommt er später mit einem ähnlichen Kommentar auf den Fall zurück. »Ich war fasziniert von Hitlers weichem und fleischigem Rücken«, so heißt es, »der immer so prall in seine Uniform geschnürt war. So oft ich begann, den Lederriemen zu malen, der sich von seinem Gürtel schräg über die Schulter zog, versetzte die Weichheit dieses unter dem Waffenrock komprimierten Hitlerfleischs mich in eine schmack-, nahrhafte und wagnerhafte Ekstase, die mein Herz heftig schlagen ließ, eine höchst seltene Erregung, die ich nicht einmal beim Liebesakt empfand. Hitlers pralles Fleisch, das ich mir wie das göttliche Fleisch einer sehr weißhäutigen Frau vorstellte, faszinierte mich. Da ich mir trotz allem des psychopathologischen Charakters einer solchen Empfindungsverkettung bewußt war, flüsterte ich mir immer wieder ins eigene Ohr: dieses Mal, ja, dieses Mal komme ich bestimmt dem echten Wahnsinn nahe.«[7]

Nicht die psychopathologische Verkettung, die eine Fiktion sein kann, ist von Gewicht, sondern die Einstellung zu Hitler als einem Symbolwert, der satanisch begriffen und umgekehrt wird. Die Ungeheuerlichkeit, die darin lag, Hitler mit Wohlwollen zu begegnen, wird durch die

Ungeheuerlichkeit übertroffen, in Hitler ein sexuelles Lustobjekt zu sehen. Die politische Figur wird vom fleischigen Rücken förmlich erschlagen. Mit dem Symbol einer politischen Perversion kommt die Empfindung einer weiteren Perversion auf, und hier nun schaltet sich Dalís Bewußtsein ein: auch wenn er seinen Perversitäten freien Lauf zu lassen scheint, hat er stets im Sinn, daß es sich um Perversitäten handelt. Homosexualität ist für ihn keine Triebvariante, sondern eine Anomalie: daher, ähnlich wie Genet, von dem es eine hingerissene Beschreibung der SS gibt, die Würdigung Hitlers als Würdigung einer Abnormität, als das, was Sartre im Hinblick auf Genet den Anspruch auf das Böse genannt hat. Auf die Moralkategorien seiner Umwelt reagiert Dalí, indem er sie auf den Kopf stellt: seine Antwort auf die Stereotypie ist die Paradoxie.

7. Ritual

Das heißt: Dalís Symbolik ist die Abweisung realer Gegebenheiten, wie sie jemand vornimmt, der sich als Außenseiter, als jenseits der Gesetze und der Anlässe versteht, von denen diese Gegebenheiten bestimmt sind. Gerade die Absonderung, die Dalí in einem fort an den Tag legt, setzt, gleichgültig, ob man sie als eine Kunstmethode oder als Selbstdarstellung nimmt, eine statische, vor allem aber hierarchische Auffassung der realen Welt voraus. Obwohl die Gesetze für ihn keine Gültigkeit haben sollen, sind sie in einer sogar drohenden Weise präsent. Denn je starrer die reale Welt geordnet ist, um so leichter fällt es dem Out-Law, die eigene Ausnahme zu definieren. Seine Polemik ist immer eine feste Größe, weil sie sich gegen feste Größen richtet. Auch in diesem Zusammenhang hat Sartre am Beispiel Genets auseinandergesetzt, in welcher

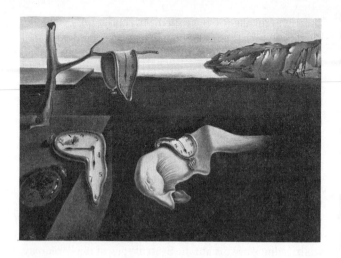

Weise der hierarchische Ordnungsbegriff, der Essentialismus, wie Sartre es nennt, eben zu jener Asozialität gehört, wie Genet sie verkörpert oder Dalí simuliert. Genet, so meint Sartre, der außerhalb unserer industriellen und bürgerlichen Demokratie lebt, ist in ein künstliches Mittelalter getaucht, in ein schwarzes Feudalsystem, darin das Bild einer höheren Essenz herrscht. Titel sind heilig, die Gesellschaftsordnung ist, wenn Gott sie gewollt hat, legitim, und man findet den handgreiflichen Beweis für diesen Willen in der Hierarchie der Dinge. Figuren werden auf diese Weise zu Typen, ihre Verständigung beruht auf rituellen Formen.

Im Fall Dalís nimmt das künstliche Mittelalter konkretere Züge an. Nicht nur, daß er ständig darauf pocht, ein Spanier zu sein; er hat sich stets zum Schwarzen Spanien des Klerus, der Latifundien und der aristokratischen Privilegien bekannt, zu den rückständigen Teilen also einer rückständigen Gesellschaftsformation, die aus ihrer Rückständigkeit obendrein eine Tradition, eine »Hispanität«

gemacht hat, auch sie ein Essentialismus, der sich von Phillip und Isabella der Katholischen, von der Inquisition und vom Totalitätsanspruch des verlorenen Weltreichs herleitet. Vor allem bedeutet »Hispanität« ein Gegenstück zum kapitalistischen und weltlichen Europa, und nicht nur Machthaber haben dieses Gegenbild in Umlauf gehalten. Als Ortega in den zwanziger Jahren forderte, man müsse Spanien europäisieren, antwortete Unamuno mit der Umkehrung, man müsse, besser, Europa hispanisieren.

Das künstliche Mittelalter hat es mit sich gebracht, daß Spanien über eine lange Zeit hinweg von Ritualien beherrscht wurde. Nicht nur die üblichen, von Anfang bis zum Ende ritualisierten Schauspiele wie der Stierkampf oder der Flamenco, sondern Verhaltensweisen und Handlungsstereotypen sind noch bis in die Gegenwart hinein zeremoniell, ja liturgisch geprägt gewesen: der kultische Stolz, die Blasphemie, der Dandyismus selbst provinzeller Art, die Caféhaus- und Bordellmythologie. Lorcas *Bluthochzeit* und *Bernarda Alba* geben die Erstarrung einer kodifizierten Welt wieder, in die, als Katastrophe, der Naturtrieb einbricht. Daß die Ritualien angefochten oder, mit dem Bürgerkrieg, ins Wanken geraten sind, trug dazu bei, daß sich die Anhänger der Hispanität um so nachdrücklicher an sie hielten: der Anachronismus wurde zur Glaubenssache. Dalí machte keine Ausnahme: die wahre Kulturrevolution, so sagte er, sei die Wiederherstellung der monarchischen Hierarchien.

8. Tabus und Gegentabus

Über Genet hat Sartre gesagt, eine soldatische Hierarchie der Begriffe gäbe das Gerüst der gesellschaftlichen Welt ab, die Genet sich für seine Bedürfnisse erfindet. Gleich darauf fragt Sartre das Nächstliegende: Glaubt Genet daran? »Bestimmt nicht«, so lautet die Antwort, »er ist viel zu intelligent, er kann die Entdeckungen der Wissenschaft und die heutige Arbeitswelt, die ihn zugleich fasziniert, erschreckt und anwidert, nicht völlig ignorieren. Aber gerade weil er nicht daran glaubt, muß er sich davon überzeugen. Es gehört zu den obersten Vorschriften, die er seiner Einbildungskraft gibt: sie habe ihm die alltägliche Welt – unsere Welt also – in einem solchen Licht darzustellen, daß sie seinen Konzeptualismus bestätigt.«[8]

Im Gegensatz zu Genet ist Dalí weder ein Dieb noch ein Päderast gewesen; das also, was Sartre einen Konzeptualismus nennt, eine Gegenwelt im Kopf, ist in seinem Fall nicht erzwungenermaßen, sondern durch Selbstbestimmung zustande gekommen. Es steht aber fest, daß ihm, ähnlich wie Genet, die hierarchische Ordnung als tabuisierte Ordnung gilt: bevor er sie hintergeht, muß er sie anerkennen. Die Symbole seiner Bilder, zumal derjenigen aus den dreißiger Jahren, sind Ordnungswidrigkeiten, die, genaugenommen, noch die Merkmale der Ordnung enthalten. Die Tabus, besonders die sexuellen, kehren, indem sie verletzt werden, hervor, daß Dalí sie gutheißt. Auch seine Paradoxien sind ritualisiert. Man kann sogar, angesichts der ständigen Bemühung, die reale Welt als konzeptuelle Bestätigung zu sehen, von einem Gegentabu sprechen. Ein paar Kapitelüberschriften in dem Buch *Wie wird man Dalí*, deren Banalität immerhin den Vorzug der Klarheit hat, können es belegen: »Wie man Männer beherrscht, Frauen unterwirft und Kinder verblödet«, »Wie man zu Gott betet, ohne an ihn zu glauben«, »Wie man erotisch wird und keusch bleibt«.

Zusätzlich liefert die starre Ordnung mit ihren Tabus und Stereotypen einen Symbolvorrat, auf den Dalí ganz offensichtlich nicht verzichten kann. Im Gegensatz zu Genet, der schreibt, macht sich für Dalí diese Ordnung nicht in einer Hierarchie der Begriffe, sondern in einer Hierarchie der Imagines kenntlich. Hitler als fleischiger Rücken entspricht einer bewußt gestörten Sehweise, die das Symbol nicht wörtlich nimmt, mit der Wörtlichkeit aber rechnet. Damit verliert das Symbol seine Orientierung, das also, was es zum Symbol macht. Das Beispiel steht für viele. Dalí stellt ein Universum aus verwahrlosten Sinnbildern zusammen, deren Sinn man im einzelnen zwar kennt, in dieser Zusammenstellung aber als Zerfall gerade der Sinnbilder begreifen soll.

9. Malerei

Was später seine Symbole kennzeichnet, sind zwei Dinge. Zunächst einmal fällt ihre optische Prägnanz auf. Dalí bringt nur solche Imagines ins Bild, die, wie Freud sagte, so weit verdichtet sind, daß sie ein intelligibles Äußeres zeigen. Nicht ihr Zeichencharakter ist entscheidend, sondern ihr Dingcharakter. Einige dieser Gegenstände sind sogar neutral, wenn man sie auf symbolische Bedeutungen hin untersucht; im Kontext der gemalten Szenerien jedoch nehmen sie, wie die Felsen von Port-Lligat oder ein am Strand liegendes Boot, eine zusätzliche Bedeutung an. Hier arbeitet Dalí nach einer althergebrachten, der Malerei eigenen Regel: ein Boot an sich stellt nichts dar, ein Boot im Bild bedeutet, weil es im Bild erscheint, mehr als ein Boot. Dalís Boot tritt derart isoliert in Erscheinung, daß man den Gegenstand gleichermaßen als Abbild und als dessen Täuschung ins Auge faßt. Andrerseits übernimmt Dalí mit Vorliebe Gegenstände und Figuren aus jüngster Zeit, die eine symbolische, ja mythische Bedeutung förmlich vor sich her tragen: Mae West, das Telephon, die Uhr.

Der Mythos kann ohne weiteres ein Trivialmythos sein. Auch hier zählt in erster Linie, daß er optisch schlagend ist, seine Darstellbarkeit also über dem Symbolcharakter steht. Dalís Symbole müssen stets, bevor sie für etwas anderes stehen, erst einmal für sich, als Gegenstand und als Materie, stehen können: Krücken sind vorab Stützutensilien aus Holz, die Schubladen im Frauenleib deutlich bezeichnete Möbelstücke.

Die Tatsache, daß, zweitens, diese Symbole für Verwahrlosung und Zerfall stehen, schränkt ihre Dinglichkeit nicht ein. Wenn Picasso ein Stilleben als Scherbenhaufen oder ein Frauengesicht als Stigmatisierung vorführt, zerstört und stigmatisiert er gleichzeitig das Malmaterial. Dagegen übersetzt Dalí seine Zerstörungen in eine abermals optisch klare Aufzählung. Er rennt nicht, wie Picasso, mit der Malerei gegen das Sujet an, indem er die Gewalttätigkeit der künstlerischen Handschrift dem Bildthema gegenüber ausspielt: er nimmt vielmehr die Auflösung und die Demontage der Dinge beschreibend vor. Die bekanntesten Beispiele sind die in teigartigen

Formen auslaufenden Gesichter, die weichen, lappig herabhängenden Uhren, die Überschneidungen in den ausdrücklich als paranoisch erklärten Bildern, auf denen im Gewimmel überaus präziser anatomischer oder mineraler Formen ein zwar schattenhafter, aber präziser Löwe und ein ebensolches Pferd sichtbar werden. Diese Anamorphosen und Illustrationen weisen noch einmal darauf hin, daß Dalí der optischen Beschreibung den Vorzug gibt. Er hat Photos ausgemalt, Gegenstände in eine schräge Beleuchtung gesetzt, De Chíricos Schlagschatten verlängert und den perspektivischen Horizont so weit nach hinten verlegt, daß sich normal proportionierte Figuren und Dinge allmählich in Kleinformen verwandeln.

10. Gute alte Bekannte

Der Einwand, ein derart ausgedeuteter Dalí sei eine Blaupause seiner Bilder, ist nicht von der Hand zu weisen: in Wirklichkeit empfiehlt es sich, auch dort die Durchkreuzungen in Rechnung zu stellen, wo seine Grenzen deutlich zutage treten. Nicht zufällig gibt es von ihm einen lobenden Aufsatz über die Salonmaler Meissonier, Bouguerau und Boldini. Wer die Welt der Dinge mit Dingen wiedergibt, gleichgültig, wie immer geartet und kombiniert sie auch aussehen mögen, läuft Gefahr, in jener Tautologie zu enden, die selbst Dalís gelungenste Bilder gefährdet. Das Boot im Bild ist zwar mehr als ein Boot, seine Kennzeichen führen es jedoch fortwährend auf seine Boothaftigkeit zurück. In den weniger gelungenen Bildern, von denen es eine Unzahl gibt, kommt eine Banalität zum Ausdruck, die nicht, wie im Fall Picassos, ein Ansatzpunkt, sondern vielmehr ein Fluchtpunkt ist. Dalís Objektgläubigkeit macht nicht die Kehrseite, sondern die Schauseite seiner hierarchischen Welt aus.

Denn das festgefügte Oben und Unten ist eine ebenso festgefügte Vorstellung. Daran ändert auch nichts, daß Oben für Unten und umgekehrt ausgegeben wird: die hierarchische Struktur bleibt bestehen. Spiegelverkehrt oder gekippt: sie macht ihre Herkömmlichkeit, das Gegenteil also von »wunderbarer Unreinheit« oder »erfreulicher Verwirrung«, geltend. Was auf dem Kopf steht, lädt dazu ein, daß man es auf die Füße stellt: so und nicht anders erklärt sich Dalís Popularität. Jene starre, hierarchische und tabuisierte Ordnung ist überdies nicht nur die Ordnung eines Barbey, Villiers oder Huysmans; sie ist, holt man sie aus der Verkehrung zurück, ihrer Natur nach ebenso die Ordnung der Trivialromane, des B-Films und der Seifenoper. Deren Elemente setzt Dalí frei, am Anfang womöglich, ohne sonderlich darauf zu achten.

Genau an diesem Punkt haben Orwell und Wilson aufgemerkt. Wilson spricht an einer Stelle eher beiläufig von Louis Bromfield, mit dem, so fürchtet er, der Romanschriftsteller Dalí etwas Wesentliches gemein hat. Orwell hat einen ähnlichen Einfall, den er, geschickterweise, nicht nur als Einfall hinstellt, sondern so, als hätten ihn die Bilder und Zeichnungen ausgelöst. Er hält mit der Frage nach der Moral inne und beschäftigt sich statt dessen mit einer künstlerischen Untugend. »Wenn er nicht surrealistisch malt, verfällt er in den altmodischen, überladenen Stil kurz vor der Jahrhundertwende. Manche seiner Zeichnungen erinnern an Dürer, eine zeigt unverkennbar den Einfluß von Beardsley, und eine andere ist eine deutliche Anlehnung an Blake. Aber der durchgehende Zug ist edwardisch. Als ich das Buch das erste Mal aufschlug, war ich betroffen von der Ähnlichkeit, die ich mir nicht sofort erklären konnte. Ich sah mir den ornamentalen Leuchter

im ersten Teil genauer an. Woran erinnerte er mich? Schließlich kam ich dahinter. Er erinnerte mich an eine große, populäre Ausgabe von Anatole France, ausgiebig illustriert, in englischer Übersetzung, die etwa um 1914 erschienen ist. Jedes Kapitel begann und endete mit einer ornamentalen Zeichnung in diesem Stil ... Diese Kerze, die in soundsoviel Bildern wiederkehrt, ist ein guter alter Bekannter ... Diese Leuchter wirken sofort ungemein sentimental.« Darauf folgt ein Satz, der Dalí ins Gegenlicht rückt: »Wie um diesen Eindruck zu verwischen, hat Dalí die ganze Seite der Zeichnung mit Tinte bespritzt, allerdings umsonst.«[9]

11. Kalkül

Scharlatanerie muß nicht unbedingt eine Haltung sein, die den Künsten abträglich ist. Es gibt frühe Bilder von Dalí, darin er, zwar in monatelanger Arbeit, immerhin aber den »ganz kurzen Moment« festhielt, »in dem die Wirklichkeit dieses Gesamtzustands eingefangen worden ist; einen Moment, in dem er sich uns durch eine plötzliche Umkehrung in einer Weise zur Betrachtung angeboten hat, die weit entfernt war von der antirealen stereotypen Vorstellung, die unser Verstand sich künstlich formte, als er ihn mit rationalen Kenntnissen belegte, die falsch und aus poetischen Gründen ungültig waren und die man nur durch das Ausschalten der Verstandeskontrollen vermeiden kann«.[10] Den springenden Punkt in dieser wie in anderen, ähnlichen Erklärungen macht das Wort »Umkehrung« deutlich. Wenn Dalí etwas umgekehrt gemalt hat, Haare, Gebein, Mobiliar oder die Fauna, so nimmt er diesen Dingen auf der einen Seite die Identität, auf der anderen aber schlägt die Identität derart durch die Bildform, daß man von einem bruchlosen Zirkel: Ding – Ding – gesehenes Ding sprechen kann. Man kann noch weiter gehen: Picassos Scherbenhaufen gibt fortwährend an, in welchem Maß die Herstellung solcher Regellosigkeiten von jenen realen Unordnungen herrührt, die lediglich aufgrund von gesellschaftlichen Illusionen für Ordnungen gelten. Picasso entlarvt auch dann etwas, wenn er in Zweideutigkeiten steckenbleibt oder es im Malverfahren durchstreicht.

Nicht so Dalí. Er ordnet die Dinge; anfangs so, wie es die Herkömmlichkeit verbot. Nur: lag es nicht nahe, daß er, über kurz oder lang, die Ordnungen wieder herstellte? Die Metamorphose des Narziß besteht, seinen Worten nach, aus einer hypnotischen Gestalt, einer Hand, ihrem Spiegelbild, einem Ei, Samen, einer Zwiebel und einer Blume. Entgegen der Sehanweisung springt hingegen ein perspektivischer Kachelboden ins Auge, auf dem ein Denkmal steht. Dieses völlig konventionelle Bildelement harrt in sich; es ist fest umrissen, und sein Mysterium bezieht es vom Nachbarding, das es jedoch, technisch gesehen, in keiner Weise berührt. Was hier als Kontraststelle zu begreifen wäre, füllt am Ende, als Kreuzigung oder als Madonna von Port-Lligat, das ganze Bild aus.

Beim genaueren Hinsehen entfädelt sich Dalís Malerei von selbst. Hand, Ei, Samen, Zwiebel oder welches Ding man nennen will, können ohne weiteres für sich stehen. Sie sind ein Bildmotiv, als solches aber vom Restmotiv trennbar. Nichts anderes als solche Trennungen hat der späte Dalí wie ein Wiesel auf Leinwände oder aufs Papier gebracht, mitunter als Reklame für Strümpfe hier, für Steinkohle dort. In der hierarchischen Ordnung findet sich die Banalität bestens zurecht. Das Schlimme ist, daß somit ein Maler, der als Provokateur begonnen hat und den ein Crevel oder ein Lacan als den ihren ansahen, plötzlich oder, seiner Natur nach, logisch den Stellen seiner Malerei und seines Denkens, die rückgerichtet und, innerhalb ihrer Widersprüchlichkeit, eindeutig von einer Kleinigkeitskrämerei bis ins Technische hinein bestimmt gewesen sind, den Vortritt ließ. Damit kommt ein Kalkül ins Spiel oder eine Verstandeskontrolle, die den gewollten Verwirrungen auf den Bildern widerspricht. Man wird, vor der berühmt gewordenen Szenerie »Die Beständigkeit der Erinnerung« im Museum of Modern Art, den Eindruck nicht los, daß die weichen Uhren auf die Minute genau gehen.

Von der Häßlichkeit der Deutschen

1. Das Schwein und die Respektsperson

In einer Selbstdarstellung, 1925 verfaßt, erklärte Grosz, vor dem Krieg habe für ihn die Erkenntnis gegolten, die Menschen seien Schweine. Damit stand er nicht allein. Ob der Mensch gut sei oder ein Tier, muß vor und namentlich nach dem Krieg ein Thema gewesen sein, an dem die Intelligenz ihr Vergnügen und das Kleinbürgertum seine Not hatte. Während die einen, ratlos, ihren Goethe und ihren Geibel zitierten, brachten die anderen Losungen auf wie »Die Krone der Schöpfung, der Mensch, das Schwein« oder, in Dadas Sprache, »Wozu Geist haben, wenn die Welt mechanisch weiterläuft?« Grosz hat allerdings die Chronologie seiner Erkenntnis verschoben, denn zumal nach dem Krieg lieferte er jenen Parolen ein bravouröses Illustrationsmaterial. »Der Mensch ist gut« heißt 1921 ein Aquarell, das zwischen leeren Häuserfronten drei Mördervisagen um einen Tisch und auf dem Tisch ein Messer zeigt.

Solche Zerrbilder, besser: die in ihnen dargestellten Typen, haben noch heute etwas Sprichwörtliches an sich. Nicht zufällig gilt der Ausdruck »Groszfigur« als Redewendung. Henry Miller hat einmal ein Mädchen namens Agnes beschrieben: sie sehe wie eine von Grosz gezeichnete Idiotin aus, eine dieser schiefschultrigen Hündinnen mit einem Rosenkranz um den Hals und der Gelbsucht obendrein. Das Wort Hündin ist mehr als eine Metapher. Grosz hat vertierte Gestalten gezeichnet, die eine menschliche Aufmachung erst recht entstellt. Nur durch einen Zufall, durch einen Kneifer bald, bald durch einen

Schnurrbart oder einen Scheitel, weichen diese Köpfe von Tierköpfen ab. Der Witz steckt in der Unabänderlichkeit einer solchen Bestialität: die Natur, so scheint es, hat den Mittelstand mit Rüsseln statt mit Nasen, mit zähnefletschenden Löchern statt mit Mündern und mit Schlitzen statt mit Augen versehen. Unter den leicht überdimensionierten Köpfen hängen, sack- und wulstartig, die Leiber. Was zu retten war, hat Grosz zu retten vorgegeben, mit Gamaschen über Schnürschuhen, mit Hüten und mit Militärmützen, mit Westen und Uhrketten: umsonst natürlich.

Was diese Zeichnungen über die platte Sittenkarikatur hebt, ist die gesuchte Doppeldeutigkeit. Sie kommt bei den weiblichen Figuren besonders klar zum Ausdruck. Abermals unterstreichen die Einzelheiten, plissierte Säume und Strumpfbänder, Dessous, Schleifen und Medaillons zwischen Fleischwülsten, Scham- und Achselhaaren, das Tierische dieser halbausgekleideten Monster, von denen man annehmen kann, daß sie, bekleidet, die Achtbarkeit in Person sein dürften. So aber, wie Grosz sie zeigt, sind sie nicht nur häßlich, sie sind in ihrer Häßlichkeit noch Sexualobjekte. Brechts These, Bürger und Räuber betreffend, dergemäß beide austauschbar sind, findet hier eine Ergänzung: man weiß nie, ob es sich um Huren handelt, um Gattinnen von Amtspersonen oder um beides. Grosz hat selber so getan, als sei er außerstande, sich zu entscheiden, zu welcher Gattung seine Typen zählen sollten; er nahm für sich eine naturwissenschaftliche Sorgfalt in Anspruch, die nur registriert, was ohnehin sichtbar ist: das Schwein, das jeden Augenblick in eine Respektsperson umschlagen kann und umgekehrt. Die gesellschaftliche Verunstaltung ist ein Stück Natur. Einer seiner Vorkriegspläne hatte ein dreibändiges Mammutwerk zum Inhalt, mit dem Titel: *Von der Häßlichkeit der Deutschen*.

2. Der amerikanische Traum

Als seine Zeichnungen an die Öffentlichkeit kamen, wurden Stimmen laut, die darauf bestanden, Grosz sei in keiner Weise der kühle Berichterstatter, für den er sich ausgab, sondern über Gebühr mit seinen Themen und Gestalten identifiziert. Damals kam der Spruch vom Spießer Grosz auf, der nur seinesgleichen geißelt. Einschränkungen dieser Art könnten noch heute als Schutzbehauptungen der Betroffenen gelten, als Retourkutschen womöglich, die jeder Satiriker in Kauf zu nehmen hat, käme nicht der skandalöse Haken hinzu, den Grosz Jahre darauf in Amerika geschlagen hat. Der Emigrant wurde zum Renegaten, der nicht nur in seinen Äußerungen dem bösen Blick und dem politischen Standort seiner Glanzzeit abschwor, zugunsten einer aus Geld, gesundem Volksempfinden und American Way of Life zusammengesetzter Idylle: er versuchte auch, mit seinen Bildern und Zeichnungen idyllisch zu verfahren.

In Amerika entstanden eine Reihe von Landschaften, Akten und Stilleben, die seinem Stil nicht allein widersprachen, sondern überdies die früheren Zeichnungen desavouieren sollten. Es sieht so aus, als habe sich Grosz nach seiner Berliner Streitbarkeit und nach dem Schock, den Hitlers Machtergreifung für ihn bedeutete, in einen Anpassungstaumel versetzt, der die in Amerika herrschenden Anpassungszwänge ebenso bestätigte wie karikierte. In seinen Erinnerungen *Ein kleines Ja und ein großes Nein*, die, genaugenommen, eine Selbstverbrennung sind, heißt es in einem makabren Kapitel mit der Überschrift: »Wie ich ein amerikanischer Illustrator werden wollte«: »Ich verliebte mich in die Genauigkeit (der großverdienenden amerikanischen Illustratoren), ihre photographische Treue, und verfiel in tiefes Mißtrauen gegenüber allen ›künstlerischen Auslegungen‹. Die Imitation schien mir von Anbeginn aller Kunst an deren einziger, ewiger Zweck gewesen zu sein, als hätte man eigentlich immer nur auf die Erfindung der Photographie gewartet, als hätte schon der erste Steinzeitmensch sich, wäre das möglich gewesen, lieber eines Kodaks bedient als seines steinernen Griffels. Die Kunst unserer Zeit, einschließlich meiner eigenen Versuche mit Feder, Pinsel und Farben, erschien mir dubios.«[1]

Später schreibt er sogar: je amerikanischer ich dachte, um so besser malte ich. Gewiß, der falsche Ton ist unüberhörbar, nur entspricht er den falschen Farben und der falschen Glätte der Bilder. Grosz als Verfechter der amerikanischen Normalität, Grosz, der regular guy: der Umschlag ist absurd. In Emigrantenkreisen machte damals ein Ausspruch von Max Raphael die Runde: Grosz ist auf den kleinbürgerlichen Hund gekommen, der er schon immer gewesen ist.

3. Eine typische Visage

Schwarz auf Weiß nun, in einem Briefband, kann man die Geschichte einer zwar angestrebten, trotzdem aber mißlungenen Anpassung verfolgen, die das Opfer, sei es niedergeschlagen, sei es sich selbst parodierend, sei es mit einem Zynismus erzählt, von dem man nicht weiß, wo die Grenze zwischen Pose und Ernst verläuft. Man fragt sich, ob er nicht vom inneren Ehrenfried ständig eingeholt worden ist. In jüngerer Zeit hat man hier und da nicht nur den Glanz von Georg Ehrenfried Groß, der sich später George Grosz nannte, sondern auch sein Elend zu erklären versucht. Es sieht jedoch, nicht zuletzt anhand dieser Epistel, so aus, als sei Grosz bereits vor sechsundfünfzig Jahren beinahe richtig eingeschätzt worden, von Brecht nämlich, der an einer mittlerweile oft zitierten Stelle im Vorwort zu *Trommeln in der Nacht* sagte: »Das, was die Bourgeoisie gegen den Proletarier geltend macht, ist sein schlechter Teint. Ich denke, das, was Sie zum Feind des Bourgeois gemacht hat, George Grosz, ist seine Physiognomie.« Nicht etwa ein unbezwingliches Mitleid mit einem Ausgebeuteten oder Zorn gegen einen Ausbeuter habe Grosz zum Zeichnen gebracht, sondern die unbezwingliche Lust, »etwas dies Betreffendes« zu Papier zu bringen. Brecht meint das nicht unbedingt abfällig, auch wenn er es satirisch überspitzt. »Ich stelle mir vor, wie Sie eines Tages eine heftige unwiderstehliche Liebe zu einer bestimmten typischen Visage in sich entdeckten als einer fabelhaften Gelegenheit für Sie, Ihrer Unterhaltung zu frönen.« Was nun folgt, bringt das Problem auf eine anfechtbare Formel: »Ihre politische Feindschaft gegen die Bourgeoisie kommt nicht daher, weil Sie Proletarier, sondern weil Sie Künstler sind.«[2]

Denn die Ableitung trifft nicht zu. Die meiste Zeit seines Lebens hat Grosz kaum Wert darauf gelegt, als Künstler zu gelten. Schon die Autobiographie macht deutlich, daß ihm der Bohemien nicht weniger widerwärtig ist als der Bourgeois. Von seinen Auftritten in der Dada-Zeit abgesehen, hat er stets auf einem normalen Habitus bestanden, der mehr war als bloße Tarnung. Erst recht in seinen Briefen, festgelegt auf die Rolle des regular guy, beschreibt er andere Maler, aber auch Literaten und Theaterleute aus einer moralisch verstandenen Froschperspektive, die, ungeachtet der oft witzigen Formulierungen, an Winkelhuberei nichts zu wünschen übrig läßt. So heißt es von Dix: »Dix beschäftigte sich ›rührend‹ auch mal mit Nietzsche, dem Übermenschen (wir lachten Tränen) – das war so um 1880 [sic] bevor er Professor wurde. Er trug einen Cow-

boy-Stetson-Hut, den er in der Schweiz gekauft hatte und
eine Shoe-string-Krawatte; er hatte es gern, wenn man
ihm schmeicheln wollte und ihn für einen Zirkusartisten
hielt. Vielleicht 'ne Art Dompteur, daran merkte man
seine provinzielle Herkunft sofort. Ok... Man sollte natürlich nur verkleinern, wenn's nötig ist – von USA aus
erscheint sowieso alles Europäische zusammenge-
schrumpft. That's all.«[3]

4. Eine kleine Scoutaxt

In diesen und in ähnlichen Passagen geht es, das ist wahr, nicht ohne Pose und Parodie zu, nur ändert das nichts daran, daß Grosz nicht bloß dem Künstlertum anderer, sondern gleichermaßen dem eigenen mißtraute. Der sich selbst spielende Künstler und der produzierende Künstler sind für ihn ein und dieselbe Figur. In den Berliner Jahren hat er sehr früh bereits Manifeste und Aufrufe veröffentlicht, darin ein linker Radikalismus zum Ausdruck kommt, der Kunst pauschal als Abschaffung der bürgerlichen Ästhetik und, wie es in den Statuten des ähnlich argumentierenden Moskauer Proletkults hieß, als scharfe Waffe der Propaganda und Agitation versteht. Schon Lenin und Lunatscharski haben gegen diese Pauschalisierung Einspruch erhoben; Lenin hat, in Hinblick auf den linken Radikalismus, von der deklassierten kleinbürgerlichen Intelligenz gesprochen, die mit lauten Phrasen um sich wirft. Ebenso setzte er den »wild gewordenen Kleinbürger« als soziale Erscheinung dem Anarchismus gleich.[4] In Amerika hingegen suchte Grosz erst nach einer gutgeratenen, später nach einer sich selbst genügenden Kunst, wobei deutlich wird, daß es sich hierbei um einen polemisch gemeinten Verzicht handelt. An Piscator schreibt er: »Zeechnet wohl Landschaften, der verfaulte anarchistische Kleinbürger? Watt? Ja, zeechnet Steine und Farren. Nee sowat.«[5]

So persiflierend die Sätze hingeschrieben sind, in ihnen steckt nicht ein Körnchen, sondern ein ganzer Brocken Wahrheit. Weil der frühe Grosz Kunst als ebenso agitatorische wie abmeßbare Wirkungsform anstrebt, er in Amerika jedoch auf Wirkungen gleich welcher Art nicht rechnen kann, kehrt er den Spieß einfach um: er bestraft die

Kunst, indem er sie endgültig auf Äußerlichkeiten reduziert und damit den bunten Umschlägen der *Saturday Evening Post* gleichsetzt. Eine solche Wirkung ist besser als gar keine. Allein, die ebenso falsche wie dürftige Alternative: hier Agitprop, dort Banausie, verwickelte ihn in Anpassungsritualien, zu deren Verteidigung er sich obendrein im Ton vergriff. »Auf meine Werke bin ich gar wenig stolz; wären sie verbrannt, wäre wenig verloren – ich sage das nicht aus beleidigtem Stolz oder spychoanalytischem Abortgefühl, noch spreche ich als gekränkte Leberwurst... durch Einsicht und Erkenntnis... bin ich dahin gelangt, alle satirische Kunst für Afterkunst anzusehen... ich habe Gottseidank endlich gelernt, sehr gering von Kunst zu denken, und sehe in ihr eine Triebbefriedigung kleinerer Verdrängungen und Ehrgeize.«[6] Ein andermal heißt es: »Habe gelernt, die moderne Kunst zu verachten und landschaftere jetzt viel mit Motivsucher im Hudson River Valley – große Streichhölzer und eine kleine Scoutaxt... führe ich vorsichtshalber immer mit mir; denn wenn plötzlich der Tag kommt und meine guten Kollegen das Modern Museum anzünden, will ich auch mit dabei sein, daher das Beil und die Streichhölzer.«[7] Die guten Kollegen sind die Maler der American Scene, die er zwar ironisch beschreibt, deren Ziel aber, eine regionale und populistische Kunst Europa entgegenzusetzen, er offenbar begrüßt. Wieder ein andermal fällt der Satz: »Wenn ich schon an Kunst denke, wird mir schlecht.«

5. Buffallo Bill

Mehrere Briefe, in denen von Stimmungstiefs und Alkohol die Rede ist, legen die Vermutung nahe, daß es Grosz auch schlecht wurde, wenn er an Grosz dachte. Seine Tragik, die, wie's anders nicht sein kann, von Lächerlichkeit nicht ganz frei ist, besteht darin, daß er sich einer Chimäre hat anpassen wollen. Er war in Berlin, wie Brecht es hervorhob, ein Zeichner, der von der Physiognomie auf den sozialen Zustand seiner Figuren schloß oder diesen Zustand mittels der Physiognomie definierte. Wenn sich aber Zustand und Physiognomie nicht decken? Genau das trat in Amerika ein. Grosz kam mit einer Neuen Welt im Kopf nach New York, wie er sie zu Hause anhand von Trapperbüchern, Wildwestfilmen und Wolkenkratzerfotos kennengelernt hatte. Sein Amerikabild war nicht weniger »rührend« als das Nietzschebild eines Dix. Es sieht so aus, als habe Grosz in Amerika Ausschau nach Lederstrumpf und Buffallo Bill gehalten, vergeblich, weil sie sich, im Gegensatz zum Berliner Bürger mit Speckfalte, Kneifer und Stehkragen, in Mythologien aufgelöst hatten. Die Enttäuschung läßt nicht auf sich warten: »Weiß ich dann manchmal überhaupt nichts mehr zu unterscheiden, was gut ist und was schlecht – und auf einmal ertappe ich mich bei der ›pragmatischen‹, sehr amerikanischen, falschen Auffassung: was Erfolg hat, ist GUT – was Mißerfolg hat, SCHLECHT . . . und ich bin ja auch kein so besonderer Erfolg. Sieben Jahre vertan mit dem Unterrichten von Zeitstehlern und Dilettanten, alten weißhaarigen Damen und Debutantinnen mit mink coats und eigenem Chauffeur. Hie und da etwas verkauft – gerade so decent living gemacht, wie man hier sagt – aber mehr auch nicht. Wie viele Schläge ins Wasser! Als der eigentliche ›Zeichner‹ ein kompletter Mißerfolg.«[8]

Dieser Mißerfolg rührt namentlich daher, daß Grosz in der amerikanischen Kunstwelt nicht richtig Fuß fassen konnte. In New York hing ihm, wie er in der Autobiographie sagte, allenfalls ein »kleiner Ruhm« an, den man ihm überdies damit schmälern wollte, daß man ihm nahelegte, keine »Karikaturen« mehr zu zeichnen. Den Rat hat er zwar befolgt; als er jedoch mit seinen Wald- und Wiesenbildern an die Öffentlichkeit trat, wandte sich die Kunstwelt vollends von ihm ab. Grosz beschreibt sie folglich mit einem Abscheu, der dem Abscheu vor Kunst überhaupt gleichkommt, hier aber einen anderen Stellenwert innehat. Eine Anzahl von Briefen, die den Betrieb aufs Korn nehmen, sind die treffendsten im Band: so die Beschreibung nach einer Beschreibung, wie Pollock, der »Rohrschachtest-Rembrandt«, malt. Es braucht, wenn man über die Auswahlkriterien nicht nur des New Yorker Betriebs jener Jahre nachdenkt, nicht unbedingt um Pollock zu gehen: während aber Grosz übersehen wurde, feierte der heute vergessene Pawel Tschelitschew Triumphe. Man kann noch weiter gehen. Wäre nämlich Grosz die Gönnerschaft eines Kunstbetriebs zuteil geworden, hätte er ohne weiteres auch Wald- und Wiesenbilder, und wenn nicht sie, so Zeichnungen wie die Berliner am laufenden Band herstellen können. Es ist unterdessen ein öffentliches Geheimnis, daß Chagalls späte Malereien, gelinde gesagt, schwach sind und Dubuffets Hourlorpe-Bilder Konfektion, was keinem der beiden zum Schaden gereicht. Dagegen ist Grosz in eine Isolierung geraten, die ihn, wie es in den Briefen nachzulesen ist, von einer Trotzhaltung in die andere trieb, soweit, daß er nicht nur den Zeichnungen aus Berlin und seinen damaligen Ideen abschwor, sondern sich außerdem mit vielen seiner alten Freunde überwarf.

Nur Brecht gegenüber hat Grosz den Ehrenfried nicht zu Wort kommen lassen. Die Briefe, die er ihm schreibt, zeugen auch dort von Übereinstimmung, wo er, der doch verbrannte, was er verfochten hatte, widersprechen müßte. Gerade Brecht aber hätte ihm über die Rolle des Künstlers und der unverzüglich einzutreibenden Kunstwirkung einiges sagen können. In seinen *Schriften zum Theater* jedenfalls steht ein Absatz, der, ohne direkten Bezug, Grosz' Elend deutlich macht: daß nämlich der Künstler nicht immer die unterdrückte Klasse als schnellen Richter anerkennen kann, denn ihr Geschmack und ihr Instinkt sind eben unterdrückt. Er ist nun einmal darauf angewiesen, das zu machen, was ihm selbst gefällt, in der Hoffnung, er selber stelle den idealen Beschauer dar. Diese Hoffnung hat Grosz nicht teilen können: sein idealer Beschauer war, so scheint es, Ehrenfried Groß. Brecht fährt fort: »Das bringt ihn noch nicht in einen Elfenbeinturm, solang er angestrengt bemüht ist, die Kämpfe der Unterdrückten mitzukämpfen, ihre Interessen zu entdecken und zu vertreten und seine Kunst für sie zu entwickeln.« Darauf fällt ein Satz, den sich Grosz auf sein Sofakissen hätte sticken lassen sollen: »Aber selbst in einem Elfenbeinturm sitzt er heute besser als in einer Hollywoodvilla.«[9]

6. Lombroso und die herrschende Klasse

Der Zusammenbruch, den Grosz malend und redend in Amerika vorführte, hatte mehr als eine Ursache. Wenn sich heute eine Grosz-Renaissance anbahnt, so ist es nicht Pietät allein, daß über die amerikanischen Sofabilder kaum geredet wird. So ernst sie auch gemeint sein mochten, sie sind ihrer Motive und ihrer Faktur nach Eigenfälschungen: genausogut können sie als Zeugnis dafür gelten, daß Grosz, ohne es zu wollen, die akademische Malerei persifliert hat. Überhaupt hat Grosz, der Kunstmaler, etwas von einem Zerrbild an sich, und darüber geben seine Erinnerungen, durchschaut man einmal ihren Tonfallschwindel, Auskunft. Selbst Grosz, der Versager, steht da wie eine Karikatur. Nach welchen Gesichtspunkten hat er versagt? Man kommt darauf, daß er sich auf eine Uniformierung eingelassen hat, in der einerseits die Künste, andrerseits die Utilität einen moralisch gefärbten Gegensatz abgeben. Dabei fällt der Starrsinn auf, der beides, Kunst und Utilität, als Klischees definiert. Grosz vereinfacht und entkörpert die Begriffe so, als seien sie Teile der Spießerbilder, die er vorlegt.

Seine Stereotypie war kunstvoll, das steht außer Zweifel, ob sie aber die Wirklichkeit mit der naturwissenschaftlichen Sorgfalt bezeichnete, wie Grosz es wollte, bleibt dahingestellt. Schon beim flüchtigen Hinsehen wird deutlich, daß die Realitäten, die er abgebildet hat, begrenzt sind: eher ergeben sie, legitimerweise, eine Typologie. Es sind, im *Ecce Homo* beispielsweise, stets die gleichen Figurenmuster, die in verschiedenen Szenerien agieren, in Kleinbürgerstuben ebenso wie im Chambre Séparée, am Stammtisch ebenso wie in der Grunewaldvilla. Ein paar Gesichter, der Alldeutsche mit Vollbart und Triefaugen, der Staatsdiener mit Stehkragen und Kneifer, die Dame mit Hängebrust und Kuhblick, tauchen beharrlich in verschiedenen Blättern auf: ganz offensichtlich sind sie als Stereotypen gedacht und auf jeden Fall als Charaktermasken in einer politischen Polemik. Die politischen Verrichtungen treten gegenüber denen in den Hintergrund, die sie verrichten.

Natürlich mußte Grosz, um dem Kapitalismus ein Gesicht zu geben, ihn personifizieren. Solche Verkörperungen aber mußten, wenn sie wirksam sein sollten, zu Stempeln geraten. Ein Stempel aber ist weder ein Dokument noch ein Beleg, er ist eine künstliche und, wenn man will, eine künstlerische Formulierung. Sie macht, bei Grosz, gleichermaßen eine Verschiebung kenntlich, die allerdings auf einen realen Bezug bauen kann: das Gesicht, das

er der herrschenden Klasse zeichnet, ist ein Kleinbürger-
gesicht in besserer Aufmachung, zu dem sich ein paar Of-
fiziersköpfe gesellen. Daß auf diese Weise die politische
Ökonomie in eine Abart von Lombrosos Kriminologie
rutscht, ergab, alles in allem, einen Kunstgriff, einen
streitbaren, der wie Brechts bürgerliche Räuber und räu-

berische Bürger seinen Witz hatte: er beruhte aber, gleichgültig, wie oft Grosz den Kunstverzicht proklamierte, auf einer Kunstbehauptung.

Der Kunstverzicht schlägt sich zumal in seiner Auffassung von Tendenzkunst nieder. So hatte er 1919 in einem mit John Heartfield gegen Kokoschka geschriebenen Aufruf gefragt, was der Arbeiter mit Kunst solle, denn sie führe ihn in eine unberührte Ideenwelt, halte ihn vom revolutionären Handeln ab und gaukele ihm die bourgeoise Vorstellung einer Welt der Ruhe und Ordnung vor, anstatt ihn gegen die bürgerlichen Blutsauger und Besitzkröten aufzupeitschen.[10] Die Kunst sei der Vernichtung preiszugeben. Welche Kunst aber meinte Grosz? Und welche Arbeiter? In gleicher Weise kategorisch hatte, im Rahmen des Proletkults, V. T. Kirilov den Satz geschrieben: »Verbrennen wir Raffael im Namen unseres Morgen.«[11] Es fällt auf, daß Grosz auch in der Folgezeit Kunst streng von dem trennte, was er das soziale Geschehen nannte, so als ob Kunst von sich aus, naturwüchsig sozusagen, in einem ebenso luftleeren wie bürgerlichen Raum vonstatten ginge. Der politischen Brisanz seines Œuvre gewiß, erklärte er sie nicht zuletzt damit, daß es auf ihren Kunstcharakter nicht ankäme.

8. Das prominente Kleinbürgertum

Nun war Grosz zwar ein Tendenzkünstler, es stellt sich aber von heute her die Frage, ob er ein politischer oder ebenso ein dadaistischer war. Dada brachte in Berlin eine sozialpolitische Aggressivität zutage, die sich von den eher artistischen Provokationen in Zürich unterschied. Vor und nach dem November 1918 lag ein Aufruhr auch der damals jungen Künstler nahe, die sich allerdings als

Kämpfer, nicht als Künstler verstanden. Der Unsinn sollte nicht als Störfaktor im Kunstbetrieb, sondern als Wiedergabe einer aus dem Krieg erwachsenen Sinnlosigkeit gelten; die Aussprüche und die Aktionen der Berliner Dadaisten machen deutlich, daß sie den erschütterten Instanzen und Autoritäten den Rest geben wollten. Ihre Negation war ein Kampfmittel, um dessen Beschaffenheit es nicht ging, oder, wie Raoul Hausmann sagte: Dada benütze alle Formen und Gebräuche, um die moralisch-pharisäische Bürgerwelt mit ihren eigenen Mitteln zu schlagen.

Gerade die Bürgerwelt war jedoch ins Wanken geraten, soweit, daß es den Dadaisten leicht fiel, Moral und Pharisäertum in ihrer Unstimmigkeit bloßzustellen. Der verlorene Krieg hatte Institutionen und Ordnungsbegriffe entwertet, bürgerliche Prinzipien um ihren Inhalt gebracht und ein Sammelsurium von Travestien geschaffen. Selbst dort, wo Ordnung herrschen sollte, herrschte eine heillose Unordnung, die eine ganze Fauna von neuen Physiognomien heranschwemmte: die Schieber und die Kriegsgewinnler, die mondänen Halbwelttypen, die Reichsminister mit schlechten Gewissen, die Revolutionäre auf dem Weg in die Legalität, zwischen denen die alten Physiognomien aus Heer, Justiz und Wirtschaft auf ihrem Recht bestanden. »Dieses deutsche Bürgertum«, schrieb Tucholsky 1919, »ist ganz und gar antidemokratisch, dergleichen gibt es wohl kaum in einem andern Lande, und das ist der Kernpunkt alles Elends. Es ist ja nicht wahr, daß sie in der Zeit vor dem Kriege unterdrückt worden sind, es war ihnen tiefstes Bedürfnis, emporzublicken, mit treuen Hundeaugen, sich zurechtstoßen zu lassen und die starke Hand des göttlichen Vormunds zu fühlen! Heute ist er nicht mehr da, und fröstelnd vermissen sie etwas.«[12]

Die Groszsche Verschiebung kommt auch hier zum Ausdruck: mit Bürgertum konnte nur das Kleinbürgertum gemeint sein, dessen Gebaren bis in den höheren Mittelstand hineinreichte. Denn Verlierer des Krieges und Opfer der folgenden Jahre war jene Kleinbourgeoisie, der die Niederlage die Moral, der Spartakusaufstand das Standesbewußtsein und, schließlich, die Inflation die Habe beseitigte. Aber dieser Niedergang wurde obstinat von Illusionen begleitet, sei es der vom Erfolg des Tüchtigen, der einer völkischen Kultur oder einer ikonographischen, die sich Grosz zum Thema wählte: der Kleinbürger als Repräsentant. Daß diese Repräsentanz ein Trugbild war, hat Grosz dadurch festgehalten, daß er die Würde des Würdenträgers stets mit dessen Spießigkeit durchkreuzte.

Die Verstümmelung des Kleinbürgertums wurde auf diese Weise genau zu dem, was sie sichtbar machte: zu einer Verstümmelung der Erkennungszeichen. Grosz, der ehemalige Dadaist, nunmehr Mitglied der Novembergruppe, der »Roten Gruppe« und der KPD, trieb sein Spiel mit Bürgerformen: mit Fahnen, mit Waffenröcken, mit Ehrenzeichen, aber ebenso mit Frisuren, Standeskleidern oder Schmuckpflanzen. Es ist diese Kreuzung aus Zitat und Bezeichnung, die den Zeichnungen das Schlagende gibt, derart, daß sie noch heute als Chiffren einer nicht nur sichtbaren, sondern auch einer verwickelteren gesellschaftlichen Situation gelten. Die Vereinfachungen, so »linksradikal« sie auch gemeint gewesen sind, so unrealistisch sie sich andrerseits in den Zusammenhängen von Ikonographie und Beleg gaben, tragen zur Prägnanz nur bei. Weil er seine Polemik in eine Wechselbeziehung von Zeitnähe und Geschichte setzte, hat Grosz von 1916 bis 1923 eine einzigartige Deckung von Bildrealität und sozialer Realität zustande gebracht. Sie ist sprichwörtlich geworden und hat das Fürchten gelehrt. Ähnlich wie Karl Kraus ist ihm zu Hitler nichts eingefallen: einem jeden

aber, der seine Bücher durchblättert, fällt unverzüglich
Hitler ein.

9. Das neue Gesicht der herrschenden Klasse

Man ist keineswegs auf Vermutungen angewiesen, wenn
man feststellt, daß Grosz, als die Übereinstimmung von
Gegenwart und Registriervermögen, von bösem Blick und
böser Umwelt auseinanderfiel, in eine Krise geriet. Schon
die Tatsache, daß er seinen ersten Rückblick 1925 schrieb,
ist ein Indiz. Er handhabt dabei Prinzipien, die sehr rasch
darauf hinauslaufen, Deckformeln für die eigenen Vorlie-
ben und Abneigungen zu werden: sie sind Wunschgedan-
ken. Wenn er von politischer Praxis spricht und gleichzeitig über den gotischen Heiligenkult, die Negerdorfschö-
nen, die roten Kreise, blauen Quadrate oder kosmischen
Eingebungen seiner Kollegen spottet, so spricht er nicht
mehr als Beteiligter, er spricht als Veteran.

Zumal den Rückblick eine weichere, in sich versponnene
Zeichentechnik begleitet hat. Auch das läßt sich anhand
der realen Umstände erklären. Um 1925 kam das gesellschaftliche Pandämonium zu einer zwar fragwürdigen
Ruhe, zu einer Ruhe aber immerhin, und Grosz geriet in
Darstellungsschwierigkeiten, weil die augenfälligen Typen, der Alldeutsche, der Staatsdiener, die hausbackene
Hetäre, wieder ins System zurückwichen, aus dem sie eine
Zeitlang in den Vordergrund gerückt waren. Die Personi-
fizierung reichte satirisch nicht mehr aus. Grosz war klug
genug, nicht etwa eine schöpferische Krise zu beklagen,
sondern das System in seiner veränderten Gestalt zu be-
langen. Was sollte er als Typologie zeigen? »Der junge
Kaufmann von heute«, so heißt es im Rückblick, »ist ein
anderer als der aus Gustav Freytags Zeiten: eiskalt, di-

stanziert . . . Sich rasch und bedenkenlos umstellen, ›nicht von gestern sein‹ ist seine Parole. Ohne Phrasen von Berufsmission, verpflichtendem Reichtum: nüchtern, sachlich bis zum Stumpfsinn, ungläubig, illusionslos, habgierig, hat er nur Verständnis für seine Ware, für alles andere einschließlich der Branchen Philosophie, Ethik, Kunst, für die ganze Kultur gibt es ja Spezialisten, die bestimmen die Mode, und das wird dann oben akzeptiert.«[13]

Der Befund ist eine Sache, eine andere ist, wie Grosz ihn in Bilder umsetzt. Er hat es, genaugenommen, nicht getan. Die Indifferenz und die Schnittigkeit seines Gegners lagen ihm nicht, und als 1931 *Das neue Gesicht der herrschenden Klasse* erschien, enthielt der Band die gleiche Fauna der Groszfiguren in den gleichen verfänglichen Aufmachungen der ersten Bücher. Grosz berief sich nicht mehr, wie er einmal sagte, auf das Zeigen der wahren Herrengesichter, er berief sich auf Grosz. So, das ist wahr, verhält sich in der Regel ein Kunstmaler, der sein Thema, auch wenn er es erschöpft hat, weitermalt. Einem Chagall oder einem Dubuffet wirft man das, weil sie auf ihrer Beispielhaftigkeit als Kunstmaler beharren, nicht vor. Grosz hingegen hat aus seinem Unbehagen an der Kunst kein Hehl gemacht und es folglich abgelehnt, auf Bildern jene Ausnahmezustände herzustellen, die ihm die Gesellschaft nicht mehr bot. Den Avantgardismus in der Kunst hat er stets in Bezug zum politischen Avantgardismus verstanden und in dem Augenblick, da beide nicht mehr ineinandergriffen, nicht nur die Politik fallengelassen, sondern gleichermaßen eine ihm nun nutzlos scheinende Kunst. Stilleben nämlich, Stadtlandschaften oder Genreszenen, die das Flaue der amerikanischen Bilder vorwegnehmen, hat er schon 1931 gemalt.

Spätestens hier ist die Korrektur am Platz, die sich über kurz oder lang aufdrängt. Es geht um den Kunstcharakter der Blätter von 1916 bis 1923. Ihr eigentliches Motiv, der Haß nämlich, hat allen Interpreten zu schaffen gemacht, und weder das Altern der Zeichnungen noch die zwar zaghafte, trotzdem aber einsetzende Historisierung ihres Herstellers hat daran etwas geändert. Dieser Haß schlägt derart elementar durch die einzelnen Szenen, daß sich kaum jemand der Forderung entziehen kann, mitzuhassen oder den ganzen Grosz als Fallstudie abzutun. Carl Einstein sagte es auf expressionistisch: »Über dem Formalen steht propagierender Haß. In den Arbeiten des sensiblen, ehrlichen Berichters steht mitunter Abhängigkeit vom Sujet; aktives Moment des Beobachtens, der Haß ... Statt Komposition ein Lyrismus von links; Haß bestimmt Gruppierung. Solches schafft einigermaßen Distanz zum Motiv. In der Karikatur gibt man Motiv mit einem reflektierten Standpunkt, in der Groteske überturnt optische Subjektivität das Sujet. Die Karikatur zeigt einen Witz, die Groteske eine optische Phantasie. Die Groteske ist formale Angelegenheit, die Karikatur lebt vom reflektiven Standpunkt ... Grosz kam von der Groteske zur Karikatur ... das handfeste Motiv siegte; das Ergebnis: haßvolle Notiz.«[14]

Daß Einstein hier »überturnt«, braucht nicht eigens betont zu werden. Bemerkenswert allerdings ist der erste Satz, demzufolge propagierender Haß *über* dem Formalen steht. Die Fehleinschätzung macht, spiegelverkehrt, etwas Grundsätzliches deutlich. Denn ein Haß als bloße Affekthandlung, ohne die deskriptiven Momente, die gerade das Formale festhält, wäre eine wirkungslose Angelegenheit geblieben, ähnlich jenen dadaistischen Schmähschrif-

ten, von denen Brecht sagte, zwar gäben sie den Anschein, als seien sie unmittelbar und für die allerwirklichste Gegenwart geschrieben, gedruckt jedoch sei ihre Wirkung peinlich. Fraglos trifft es zu, daß Grosz im Haß gezeichnet hat, das Entscheidende aber ist nicht das Gefühl, sondern seine Entäußerung, hier in Form der Denunziation. Ein bekanntes Blatt mit dem Titel »Stammtischstudien« kann es belegen. Die aufgereihten Köpfe haben einen demonstrativen Charakter, der immerhin da war, bevor Grosz ihn zeichnete. Aber Grosz hat dergleichen nicht nur zeichnen, er hat beschuldigen wollen. Dabei geht er vor, als wolle er einen Text verfassen: die Köpfe reihen sich waagerecht von links nach rechts wie eine Schrift, und von links nach rechts nimmt die Genauigkeit der Einzelheiten zu. Es ist, als lese man eine Satzreihe, an deren Ende sich die Aussage zuspitzt. Gleichzeitig kommen vertikale Elemente hinzu, die sich besonders am Kopf des zigarrenrauchenden Spießers und des Alldeutschen überlagern. Die lineare, satzartige Zuspitzung wird senkrecht noch einmal verschärft und damit förmlich kursiviert. Denn in diesen Köpfen sammeln sich die für Grosz typischen Symptome: eine geschwollene Ader, Pickel, aber auch ein Wappen am Kragen, Biergläser, Zigarrenrauch, in dem eine matronenhafte Kellnerin auftaucht. Der Haß, mit einem Wort, ist klar gegliedert und erst durch geradezu raffinierte Formalitäten übertragbar.

Nicht nur im Fall von Grosz ist die Satire ein Genre, das vorab schon auf eine Kunstsprache baut. Wer denunziert, engt das Blickfeld ein und setzt damit Artikulierungen frei, die dem Prinzip der Entstellung folgen. Der Realismus ist eher sinn- als augenfällig. Dazu gehört, daß die Accessoires nicht als Beiwerk in Erscheinung treten, sondern daß sie, wie Siqueiros sagen würde, die Probleme einer formalen Organisation wie spielend lösen. Die Aggressivität des Dingvokabulars rührt nicht zuletzt von der Disziplin her, mit der es, in genauen Stricheinschätzungen, bald eingesetzt, bald weggelassen wird. Die Entstellung folgt einem vom Papier, von der Linie und von den Leerstellen her regulierten System: anders wäre Grosz ein zeichnender August Sander gewesen. Entgegen Einsteins und anderer Feststellungen liegt die Bedeutung der ganzen Groszschen Typologie darin, daß er Kunstfiguren zeichnet und, zeichnend, Nachdruck auf das Artistische legt, so daß beim zweiten Hinsehen zuweilen die reine Linienführung gefangennimmt. Sie steht der eines Klee in nichts nach. Seine Satire trifft insofern, als sie zur entstellenden Kunstsprache eine weitere Künstlichkeit ins Spiel bringt, die der Linie, ohne die eine Groszfigur nur jene Karikatur gewesen wäre, der Einstein auch nichts abgewann. So aber, wie die Figuren noch heute zu sehen sind, kurzarmig, kinnlos, mit sackähnlichem Körper, gleichermaßen aber als kunstvolles Liniengespinst, macht es ihren Ruhm aus, daß sie Geschichte verkörpern halfen, und zwar eine

genau zu bestimmende. Darüber darf man nicht vergessen, daß diese Figuren Umsetzungen sind, daß sie also aus
einem Strichwerk bestehen, dessen Feinnervigkeit, wie
man es nur nennen kann, einer jeden ästhetischen Nach-
prüfung standhält.

Rodin oder die Hand Gottes

Vor vier Jahren hat der Arts Council tonnenweise Gestein und Bronzen von Rodin über den Kanal befördern lassen und auf der Insel in acht Städten gezeigt. Das, so scheint es, war nur eine Stellprobe. Denn jetzt hat die Kunstbehörde, Hand in Hand mit der Association Française de l'Action Artistique, zu dem achtmal von Stadt zu Stadt geschafften Frachtgut weitere Kisten herangeschafft und das Ganze in London, in der Hayward Gallery am südlichen Themseufer, zur Schau gestellt. Man mag dem Arts Council vorwerfen, was immer man will, eins jedoch steht fest: vor Mühen schreckt er nicht zurück. Er hat, nach all der Plackerei, anläßlich der Ausstellung eigens ein Ehrenkomitee ins Leben gerufen, dem die zuständigen Minister beider Länder sowie die höheren Chargen der Denkmalspflege angehören. Dem Katalog liegt ein Faltblatt bei, darin die Konservatorin des Rodin-Museums das Thema »Rodin und England« abhandelt. Schließlich ist Henry Moore bemüht worden, um das Frachtgut aufzustellen und ins rechte Licht zu rücken, ein Handlanger von Rang, das ist wahr, was der *Times* wiederum zu einem Bildbericht Anlaß gab: Henry Moore, Rodin ins rechte Licht rückend. Es stehen also zwischen den unverputzten Betonwänden der Hayward Gallery nicht in Reih und Glied, nein: in sorgfältiger Unordnung rund hundertzwanzig Stück Rodin, angeleuchtet von Punktscheinwerfern, die den Zeigefinger des nunmehr abwesenden Henry Moore ersetzen sollen. Die Wirkung ist deprimierend.

Die Ausstellung bietet nichts Neues; nicht einmal etwas Altes bietet sie. Rodins Ruhm war schon immer angefochten: das Vertrauen, das, nach einer Zeit des Zögerns, ihm

Ämter und Großbürger entgegenbrachten, hat er bei seinesgleichen nie gefunden. Der Bildhauer Lipchitz war monatelang wie gelähmt, als er erfuhr, daß Rodin seine Arbeit gelobt hatte: was mag, so soll er sich gefragt haben, an meiner Plastik schlecht sein? Gewiß, anders konnte ein Kubist gar nicht reagieren. Aber sogar Albert Besnard, auch er ein Maler für Ämter und Großbürger und mit Rodin in vielerlei Hinsicht verwandt, äußerte sich abfällig, und zwar über den »Kuß«. Ob man, so fragte er einmal Vollard, den Eindruck habe, daß die zwei da sich liebten, und, als Vollard zögerte, fügte er hinzu: da sieht man, daß es nur posierende Modelle sind. Selbst Henry Moore trägt in einem Interview, das er eigens für den Katalog gab, den Einwand vor, Rodin habe etwas Viktorianisches an sich, etwas, das ihn, Moore, an Hugo erinnere.

Was Besnard und Moore mißbilligen, springt sofort ins Auge. Wer sich in der Hayward Gallery vor die Bronzen stellt, merkt gleich, daß sich hier zwei Absichten durchkreuzen. Einerseits will Rodin Bewegung wiedergeben, und zwar durch Muskelspiel, andrerseits will er, was als Augenweide angelegt worden ist, zusätzlich mit Geist ausstatten. Nur kommt ein solcher Geist weder vom Modell, noch ist er Folge von Rodins Darstellungsweise: er ist aufgesetzt, mit einer Verbissenheit, die unversehens ins Komische umschlägt. Ein starker Mann, stehend, stützt die rechte Hand auf den Kopf und ballt die linke schulterhoch zur Faust. Warum er »Studie zum Ehernen Zeitalter« heißt, ist nicht ersichtlich. Ein anderer, stehend, senkt den Kopf und zeigt mit dem rechten Finger auf die eigene Ferse, während er mit der linken Hand sein rechtes angewinkeltes Knie umfaßt. Warum er »Adam« heißt, ist auch nicht klar. Balzac ist, das weiß ein jeder, in etwas Bettlakenartiges gehüllt; keiner weiß jedoch, warum, und keiner will es eigentlich wissen.

Besnard hatte recht: die so anspruchsvoll Betitelten, Johannes der Täufer, der Märtyrer, der verlorene Sohn, erweisen sich als Muskelmänner, die einander ähneln und überdies eins gemeinsam haben: daß sie in Rodins Atelier, nach Rodins Anweisungen, die Muskeln spielen lassen.

Im Katalog sind gewissenhaft ihre Nachnamen verzeichnet: Herr Pignatelli, Herr Cailleux, Herr Neyt, Herr Danielli. Und diese Herren, einmal in Bronze gegossen, auf den Sockel gehoben und großspurig benannt, sind nun einmal unglaubwürdig wie eine Phrase. Sie wirken wie eine Illustration zu jenen Platitüden, die Flaubert in seinem Wörterbuch der Gemeinplätze notiert hat.

Kann man aber, wie es wiederholt vorgeschlagen worden ist, Rodin in einen begnadeten Künstler einerseits und in einen Trivialbildhauer andrerseits teilen? Eine solche Unterscheidung, das ist zu fürchten, läßt sich so minutiös nicht treffen. Der Bombast seiner Themen geht nämlich nahtlos fast in das über, was Riegl die stoffliche Individualität genannt hat. Das Dargestellte, genauer: das Darzustellende, hat die Darstellung infiziert, wenn nicht gar die aufdringliche Thematik, um Rodin beim Lehmkneten anzutreiben, als Stimulanz wirken sollte.

Man kann Rodins Dilemma auf eine derbe Formel bringen, die augenblicklich erhellt, wo er immer wieder auflief. Was wollte Rodin? Den Geist, zumindest das, was er unter Geist verstand. Darüber gibt es keinen Zweifel, und wer es über sich bringt, kann bei Rilke die Belege nachlesen. Was hatte Rodin in der Hand? Tonerde. Disparater kann sich das Problem von Absicht und Material nicht stellen: genaugenommen ist es kein künstlerisches mehr, sondern ein theologisches. Kein Wunder, wenn die fortwährenden Versuche, es zu lösen, die Ausmaße einer Schinderei annahmen.

Folgendes hat Rodin seinem Eckermann Paul Gsell über das Porträt Victor Hugos berichtet. Hugo wollte nicht sitzen, womit, wer den Geist verfolgt, ohnehin zu rechnen hat. »Ich habe den großen Dichter aufmerksam beobachtet und mir Mühe gegeben, sein Bild in mein Gedächtnis einzugraben. Dann, plötzlich, sprang ich auf und rannte zur

Veranda, wo ich die Erinnerung an das, was ich gerade gesehen hatte, in den Ton fixierte. Oft aber verblaßte mein Eindruck auf dem Weg zur Veranda, so daß ich den Ton auf dem Bock nicht anzurühren wagte und wieder zu meinem Modell zurücklief.«

Dieses Hin- und Herhetzen, vom Vorbild zum Ton auf dem Bock, vom Ton auf dem Bock zum Vorbild, hat eine damals gängige Ästhetik bewirkt. Man nahm das Modell, egal ob es Herr Pignatelli hieß oder Victor Hugo, für ein vollständiges Naturgebilde, wobei die Natur als Schauspiel kompakter Gegenstände galt, aus dem sich, nach Bedarf, Einzelzüge ablösen ließen. Delacroix hat Ähnliches sogar ausdrücklich gesagt, nur muß man sich vor Augen halten, daß er, als Maler, andere Umsetzungsmöglichkeiten zur Verfügung hatte: sein Raum, um nur ein Beispiel zu nennen, war von vornherein irreal und nur dadurch plausibel, daß er ihn auf der Leinwand Stück für Stück erfand. Rodin hingegen hatte es stets mit einem realen Raum zu tun, in dem später sein realer Bronzeblock stand, und der gab die stoffliche Individualität ab, nicht das, was von Victor Hugo oder den posierenden Modellen übriggeblieben war.

Folglich wich Rodin in die Bewegung aus: die Muskelmänner spielen mit ihren Muskeln, Tänzerinnen werfen ihre Beine über den Kopf, und Licht und Schatten tun ihr übriges auf dem polierten Metall. Eingefangen hat Rodin auf diese Weise nichts, es sei denn die Bewegung selbst. Aber auch das bleibt eine Ansichtssache, je nachdem, ob man ihm vorgibt, was als klischierter Kommentar in Umlauf ist, oder ob man sich unbefangen anschaut, was in der Hayward Gallery unter den Punktscheinwerfern steht. Dabei kann man ohne weiteres einräumen, daß Rodin, wenn er herumhetzte, von der Veranda zum Modell, vom Modell zur Veranda, wenn er im Ton herumwütete, durchaus Bewegung erzeugt hat: im Augenblick jedoch, da sie als Gestein und Bronze zutage tritt, nimmt das Material überhand und die Statue steht, wie jede andere auch, stocksteif da. Gerade weil Rodin den Anschein erwecken wollte, daß seine Modelle sich bewegen, wirkt sich der Stillstand um so tückischer aus.

Im Grunde hat Rodin Fragmente abgießen lassen, bald solche mit mehr Gliedmaßen, bald solche mit weniger. In seinem Atelier, auch das berichtet der Katalog, lag ohnehin ein Vorrat von Armen, Beinen und anderen Körperteilen herum, die er nach Bedarf anklebte, wenn ihn wieder einmal das Gedächtnis im Stich ließ. In seiner Reifezeit, nach 1900 also, hat er nur noch Bruchstücke geliefert. Man hat das zu seinem Stilprinzip erklärt, zu seinem Kunstgriff, der vor allem den Aufwand der Sujets annullieren sollte. Darüber zu streiten ist müßig, zumal von Fall zu Fall zu sehen ist, daß Rodin hinter jeder Stilisierung und jeder Suggestion zurückbleibt. Die Figuren wirken schaumig, und wenn er am Ende gar der Bronze das Stoffliche nehmen will, sehen seine Tänzerinnen aus, als wären sie aus Seife oder aus Bakelit.

Was Rodin stilisiert hat, ist etwas anderes, das Bild nämlich, heute würde man sagen: das Image, das man sich von ihm, dem begnadeten Künstler, machen soll. Darin war er nicht nur seiner Zeit voraus; er war auch ungenierter als andere seinesgleichen. Für einen Marmor, eine Riesenhand, um deren kleinen Finger sich ein menschlicher Körper ringelt, hat Rodin seine eigene Hand als Vorlage verwendet. Der Titel lautet: »Die Hand Gottes«.

Magritte für Laien

1. Die Schautafeln

Magritte hat des öfteren das Wort »Mysterium« gebraucht. Er wollte damit sagen, daß er den Ansichten der Dingwelt Unvorhergesehenes abzugewinnen wußte. Trotzdem ist das Wort denkbar schlecht gewählt. Auch wenn es im Französischen weniger belastet klingt, meint es etwas, das in Magrittes Malerei nicht eintritt. Denn die Dinge, die auf den Bildern erscheinen, sind trotz ihrer oft abstrusen Zusammenfügung derart diesseitig, daß sie ein wie immer geartetes Mysterium durchlöchern müssen. Die Brote, die den Himmel entlangziehen, bleiben auf eine unwiderlegbare Weise Brote, wie der Himmel und das angeschnittene Mauerstück genau das wiedergeben, was erst eine widersinnige Kombination ins Zwielicht rücken soll. Aber ein Zwielicht kommt in diesen Bildern nicht vor: die Einzeldinge treten vielmehr derart didaktisch an den Tag, daß man sich bei ihnen, nicht bei ihrer vermeintlichen Fremdartigkeit aufhält. Dazu kommt die Wiederholung der Motive. Das Brot taucht in einem anderen Bild mit einem Weinglas auf, ein schwebender Steinbrocken bald über einem Meer, bald zwischen einem Gebirge. Magritte muß von Fall zu Fall seine Sujets eigenhändig reproduziert, wenn nicht gar, in neuen Zusammenstellungen, förmlich fabriziert haben. David Sylvester bemerkt im Katalog der Londoner Ausstellung von 1969, daß er mit den Fabrikaten seine Not hatte.[1]

Wenn aber die Kombination der Einzeldinge den Dingen selbst keinen Abbruch tut und sich das Mysterium mitunter als Gag erweist, der unter ähnlichen optischen Vorgaben wiederholbar ist, so kommt man auf die naheliegende Frage, ob sich daraus nicht die Publikumsgunst erklärt, die Magrittes Bildern unversehens zuteil wird. Seine Kombinationsspiele tauchen am Ende in Reklamebildern auf: Nahrungsmittel, die durch die Luft ziehen, oder schwebende Schwerkörper gehören seit Jahr und Tag zum Repertoire einer anspruchsvolleren Werbung. Die Antwort findet sich dort ein, wo nicht das Mysterium, sondern sein Gegenteil zur Debatte steht, Magrittes Diesseitigkeit nämlich, die sich, entgegen der eigenen oder fremder Interpretationen, auf eine semantische Irreführung und deren Auflösung beschränkt. Hat man aber die Regeln erkannt, so gibt ein solches Bild nichts vor, was nicht ein einigermaßen beschlagenes Kombinierungsvermögen zu lösen weiß. Also wirken Magrittes Bilder wie eine Einladung, Ding, Abbild, Nachahmung und Realität auf der ihnen nächstliegenden Ebene in Komplikationen zu verwikkeln, die sich stehenden Fußes entwirren. Eine trockene, kaum die Materien bezeichnende Malweise kommt dem entgegen. Man hat Schautafeln vor Augen, mehr noch, ein Schulungsmaterial, das mit immer gleichen Ansätzen den Volksmund bestätigen will, der da sagt, daß der Schein trügt. Dabei bleibt der Schein eine nüchterne Angelegenheit. So sind die Brotlaibe hart, fast mißmutig gemalt, ohne daß sich irgendwo ein Genuß des Malers beim Malen äußert. Es sieht vielmehr so aus, als sei es Magritte lästig gefallen, die eigenen Kennzeichen für jeden Brotlaib zu ermitteln. Eher als gemalt scheinen die Brote auf eine Weise nachbuchstabiert, der sich naive Maler begeistert vor dem Motiv unterziehen. Nicht viel anders hätte der Zöllner Rousseau ein Brot, einen Stein, eine Landschaft ins Bild gebracht. Der Beschauer, so scheint es, soll den Dingen nicht allzuviel Sinnlichkeit abgewinnen.

Daß diese Dinge allerdings in ungewöhnlichen Paarungen auftauchen, gehört zur Demonstration, die Magritte mit Dingen, Abbildern und Namen veranstaltet. Er macht deutlich, daß nichts so benennbar ist, wie es die Gewohnheit und die Bildvorstellungen verlangen. Folglich kann er sich nicht auf die Malmaterie zurückziehen, die dem Schein schon von der Technik her seine Berechtigung verleihen würde: er rückt vielmehr, indem er die Dinge primitiv fast auf der Fläche ausbreitet, ihre Fadenscheinigkeit auch dann in den Vordergrund, wenn über ihre Identität kein Zweifel besteht. Allein, die Identität ist ein Trug. Die gemalten Brotlaibe sind, ob im Himmel oder auf einem Tisch, ihrer Realität entzogen: sie sind, gleichgültig, wie erkennbar sie abbuchstabiert wurden, Bezeichnungen aus Ölfarbe auf einer Leinwand. Sobald sie aber als solche ausgewiesen und, vor allem, akzeptiert worden sind, bleibt ihre Darstellbarkeit begrenzt. Worauf nämlich verweist die Darstellbarkeit, wenn nicht aufs Brot? Das Brot wiederum auf der Leinwand, so lautet Magrittes unausgesprochene Übereinkunft, verweist darauf, daß es auf einer Leinwand zur Darstellung gekommen ist, mehr nicht. Natürlich spielen das Aussehen des Brots, seine Realität, seine Eßbarkeit eine Rolle, aber nur in dem Maß, wie sie getäuscht und auf die Darstellung zurückgeführt werden. Wer vor dem Bild an die Eßbarkeit des aufgemalten Brots denkt, ist Magritte bereits in die Falle gegangen. Die Falle ist für Laien aufgestellt, mit denen als Beschauer Magritte ganz offensichtlich eher rechnet als mit den connaisseurs. Man sollte der Kunst nicht trauen: auch wenn Magritte einen solchen Satz nur beiläufig und in anderen Zusammenhängen ausgesprochen hat, die Bilder machen ihn geltend, und er trifft obendrein mit den Vorurteilen eines unvorbereiteten Publikums zusammen. Nur folgt diesem Satz ein weiterer: daß man auch der Realität nicht trauen soll, nicht nur, wo sie, mühsam gemalt, auf einer Lein-

wand erscheint, sondern auch in ihren alltäglichsten Verrichtungen.

2. Die Normalität

Am besten, man sieht den Maler Magritte so, wie er gesehen werden wollte: unterlebensgroß. Die wenigen Selbstporträts treffen ihn kaum. Photos führen einen Bon-
homme vor, der, auf dem Kopf die Melone, wie ein
Krämer, ein Klassenlehrer oder ein Kneipenwirt im Sonn-
tagsstaat zur Kirche geht. Wer nicht weiß, wen er vor sich
hat, käme nie darauf, daß sich auf diese Weise ein Künstler
und, darüber hinaus, ein sogenannter Surrealist zu zeigen
pflegte. Es ist wahr, eine solche Aufmachung kann eine
Verkleidung sein. Wollte Magritte mit Fleiß dem Dandy,
dem Bohemien oder dem von Traumdeutungen, Selbst-
mordgedanken und Zufallsmythologien gezeichneten
Surrealisten den behäbigen Kleinbürger entgegenstellen,
vielleicht als Kunstfigur? Wollte er das Brüssel, das sein
Wohnort war, dem Paris der Kunstwelt vorhalten? Der
Bowlerhut jedenfalls, die Melone also, kommt wiederholt
auf seinen Bildern vor, nur daß dort der gemalte Mann,
der sie auf dem Kopf trägt, in widersinnige Zusammenhänge verwickelt ist. Einmal schwebt eine Pfeife quer über
sein Gesicht. Ein andermal verdeckt es ein Apfel, und wieder ein andermal durchziehen Wolken seinen Rücken. Ist
das der Prototyp des Kleinbürgers, ist das Poes Mann in
der Menge, der menschensüchtig durch die Großstadt
hetzt, oder ist das einfach eine Chiffre, die Normalität und
Gesichtslosigkeit ausdrücken will? Oft stellt Magritte
diese Kunstfigur mit dem Rücken zum Beschauer, was
nicht nur Distanz andeutet, sondern auch Neugier erweckt.

Man tut gut daran, auf Magrittes Normalität, ja auf seiner Durchschnittlichkeit zu beharren. Ihn einen Surrealisten zu nennen, kommt einer Täuschung gleich. Keine Nadja hat je seinen Weg gekreuzt, Reisen ohne Ziel und Ende hat er nie unternommen, und eher als über Träume hat er über die Grenzen der Psychoanalyse nachgedacht. »Auf einen Punkt möchte ich noch aufmerksam machen«, so schreibt er 1948 in einem Brief an Scutenaire, »das ist der mißverständliche Gebrauch des Wortes ›Traum‹, wenn es um meine Bilder geht. Wir halten den Bereich der Träume für durchaus bedeutsam – unsere Arbeiten aber haben nichts Traumhaftes an sich, *im Gegenteil*. Wenn es dort ›Träume‹ gibt, so sind sie etwas ganz anderes als die in der Nacht geträumten. Es sind sehr bewußte und *gewollte* Träume, und im Gegensatz zu den Gefühlen, die man empfindet, wenn man sich in Träume verliert, haben sie nichts Unbestimmtes an sich. Und diesen Willen, der mich nach Bildern suchen läßt, die als Traumbilder gelten, haben einige von uns. Er besteht vor allem im Streben nach *größtmöglicher Klarheit*.«[2]

Liest man Magrittes Briefe, seine Interviews und seine schriftlichen Äußerungen, so gewinnt man den Eindruck, daß hier ein Vertreter jenes common sense zu Worte kommt, den zweihundert Jahre zuvor die Schottische Schule als gemeinsame Vernunft der Menschheit postuliert, der französische Staat von 1816 bis 1870 zur offiziellen Philosophie erhoben und den, am Ende, Engels mit der Bemerkung gekennzeichnet hat, der gesunde Menschenverstand sei ein respektabler Geselle, solange er im hausbackenen Bereich seiner vier Wände bleibe. Ohne daß man die Metapher, als Hilfskonstruktion womöglich, anzustrengen braucht, trifft sie, buchstäblich oder übertragen, auf den Bereich zu, der ständig die Staffage für Magrittes Bildwelt abgibt. Es ist ein enger Bereich, auch dort, wo ein

Himmel oder eine Landschaft in Erscheinung treten: sie wirken wie Kulissen. Meistens aber sind die Szenen von Wänden eingefaßt, die bald beklemmend, bald gemütlich aussehen: so ein reizloses Interieur mit Schrank und Bett, darin ein Kamm, ein Rasierpinsel, ein Glas, ein Streichholz und ein Stück Seife die Proportionen umkehren: sie sind ebenso groß, wenn nicht größer als die Möbelstücke. Den Raum schließt ein bewölkter Himmel ab, der auch hier weniger wie ein Himmel wirkt als wie eine blaue Tapete mit eingedruckten Wolken, auf die der Schrank seinen perspektivischen Schatten wirft.

Magrittes Normalität ist, so gesehen, nicht ohne Tücken. Der Himmel, der als Tapete gelten kann, ist gleichermaßen Illusion und Abbild, ähnlich den Phototapeten, die heute ganze Wald- und Seelandschaften ins Wohnzimmer überführen. Magritte, der einen solchen Transfer vorweggenommen hat, zeigt auch dessen verstecktes Spiel: gerät, mit der Phototapete, die Natur ins Wohnzimmer oder zeigt nunmehr die Natur etwas Wohnzimmerhaftes? Das gleiche gilt vom Himmel hinter dem möblierten Interieur. Bei aller Genauigkeit entlassen Magrittes Bilder Bedeutungszwitter. Genausogut wie ein kleinbürgerlicher Prototyp könnte der Mann mit der Melone, nicht anders als in Siodmaks Film, ein Killer sein. Die oft witzigen Titel, die, sorgsam ausgedacht, die Bilder begleiten, erklären zwar nichts, gemeinplätzig aber, wie sie sind, öffnen sie der vermeintlichen Normalität mehr als nur eine Hintertür. Der Mann mit der Pfeife überm Gesicht heißt: »Der gute Glaube«. Der Mann, dem ein Apfel das Gesicht verdeckt, heißt: »Der Menschensohn«. Der Mann, dessen Rücken Wolken durchziehen, heißt: »Der belohnte Dichter«. Glücklich, das stimmt schon, sind diese Titel nicht immer gewählt. Man könnte ohne weiteres auf sie verzichten, wiesen sie nicht auf eine den Bildern innewohnende List hin. Denn Magrittes gesunder Menschenverstand, wie der common sense zwar falsch, aber drastisch ins Deutsche übersetzt worden ist, geht von einer Anfechtung aus: so gesund und so allgemeingültig kann er nicht sein. Seine Philosophie beruht auf Absprachen, deren Gültigkeit das Denken unterbindet. Thomas Reid, der Begründer der Schottischen Schule, sprach von *beliefs*, in denen jeweils die Gegenstände samt ihren Qualitäten aufbewahrt sind. Gegenüber diesem Idealismus als Hausmannskost tritt Magrittes Anfechtung auf: es ist ratsam, weder den Gegenständen noch den sie betreffenden *beliefs* zu trauen. Nicht einmal seinen Augen soll man trauen, denn wer kann gewährleisten, daß man nicht sieht, was man ohnehin sehen will? Wir sehen die Welt als außen, sagte Magritte, obwohl wir die Vorstellung von ihr in uns tragen.[3] Sylvester bringt es auf die Formel, daß Magritte zwar die Fakten leugnet, nicht aber die Vernunft.[4]

3. Das visuelle Vorurteil

In einem Interview hat Magritte über das Bild »Der Menschensohn« gesagt, er habe das Gesicht des Mannes mit einem Apfel verdeckt, weil wir fortwährend Dinge sehen, die andere Dinge verbergen und damit das für uns versteckt Sichtbare ein Interesse erzeugt, das dem eindeutig Sichtbaren widerspricht. Auf diese Weise käme es, so heißt es weiter, zu einer Art Kampf zwischen dem eindeutig Sichtbaren und dem Verdeckten.[5] Man kann den Gedanken, nicht in Magrittes Worten, sicher aber sinngemäß, weiterverfolgen. Der Apfel verdeckt ein ansonsten ausgeprägtes Gesicht. Damit löst er die Frage nach den Zügen dieses Gesichts aus. Magritte malt es auszugsweise, indem er eine Braue, ein Auge und die vom Apfel nicht mehr verdeckte Kinnpartie zeigt. Mit den Details hält er das Interesse am Gesicht wach. Die Mutmaßungen aber über das Gesicht werden vom Apfel zunichte gemacht, es sei denn, man dächte sich den Apfel weg. Damit aber kommt ein Widerspruch zwischen Denken und Sehen zustande, genauer: zwischen Wahrnehmung und Vorstellung. Diesen Widerspruch, nicht ein Gesicht oder einen Apfel, will Magritte greifbar machen. Zwar deuten Auge, Braue und Kinnpartie das Gesicht an; es ist aber nicht sichtbar, so daß man unwillkürlich anhand der wenigen Kennzeichen ins Gesicht einbringt, was man von ähnlichen Gesichtern weiß. Zu guter Letzt aber erweist sich das Wissen als unzulänglich, denn der provozierend sichtbare Apfel legt es lahm.

Nun kommen Wissen und Denken im Zusammenhang mit den bildenden Künsten auf eine besondere Weise zur Geltung. Begriffe lösen sich in der Regel in Abbildungen auf, Bezeichnungen im Malmaterial. Das Material hat einen dinglichen Charakter. Rot ist zunächst einmal eine Farbe von eigener Beschaffenheit und, wie Klee es nannte, von eigener Qualität: erst im zweiten Gang, meist kraft einer angestrengten Symbolik, kommt eine Verbindung mit Blut, mit Glut oder gar mit der Liebe auf. Hingegen löst das Wort »Rot« mehr aus als die Farbe: weil es an kein greifbares Material gebunden ist, zieht es zweite Bedeutungen und Konnotationen an. Sartre ist in *Was ist Literatur* den Bedeutungsschichten des Wortes »Florence« nachgegangen. Die Farbe Rot wiederum nur auf die ihr eigene Materialität zu reduzieren hieße, eine Anzahl von Wahrnehmungsmöglichkeiten und »innere Klänge«, wie Kandinsky es genannt hätte, außer Kraft zu setzen. Nur stellen sich diese ungleich willkürlicher, das heißt: weniger spontan ein, als die Verfechter des unmittelbaren Sehens, Kandinsky unter ihnen, es wollten.

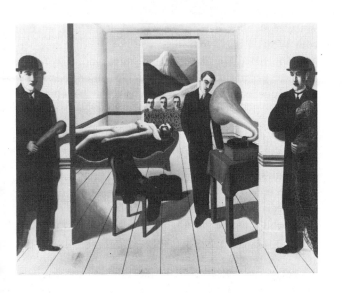

Ernst H. Gombrich vertritt in seinem Buch *Art and Illusion* den Standpunkt, daß es ein unmittelbares oder ein unvermitteltes Sehen schon deshalb nicht geben kann, weil Sehen eine Einstellungsfrage ist, an der das Gedächtnis, die Erfahrung, kurz: das Wissen, teilhaben. Gombrich benutzt den Begriff »mental set«, was man mit Szenerie im Kopf oder, besser noch, mit Setzung im Kopf übertragen kann. Korrigiert wird der mental set nur im geringen Maß, denn, wie Gombrich sagt, sogar ein Künstler gehe für gewöhnlich nicht von einer Anschauung, sondern von einer Idee oder einem Konzept aus. Eines der Beispiele in Gombrichs Buch zeigt die 1557 von einem anonymen Künstler in Holz geschnittene Engelsburg. In Rom, so scheint es, ist er, ein Deutscher, nie gewesen; das Wort »Engelsburg« aber gab ihm ein, den Bau wie eine deutsche Burg, mit Rippenwerk und Steildach darzustellen. »Burg«, das löste ein Stereotyp aus, zu dem sich ein weiterer gesellte, der des Engels auf dem Dach, auch er vom Wort »Engel« und nicht von der Anschauung hervorgebracht. Ohne diese Stereotypen jedoch wäre der Künstler vermutlich nicht imstande gewesen, das Motiv wiederzugeben oder, wie Gombrich sagt: er hat eine visuelle Information gleichsam in ein vorgefertigtes Formular eingetragen.[6] Wenn obendrein, wie Gombrich ausführt, jede Kultur und Kommunikation auf dem Wechselspiel zwischen Erwartung und Wahrnehmung beruhen, so muß man sich auch darüber im klaren sein, daß Erwartung hier mit einem visuellen Vorurteil, das vom Motiv eingelöst werden soll, gleichzusetzen ist. Ebenso aber leistet das Vorurteil dort Orientierungshilfe, wo die Wahrnehmung eine Überzahl von befremdenden Daten registriert. Umgekehrt kann die Wahrnehmung ein bereits überzähliges Stereotyp außer Kraft setzen, mit Gombrichs Worten: in ein neues Formular verwandeln. Dieses Wechselspiel findet sich, bald verkürzt, bald um Varianten bereichert, in Magrittes Bildern wieder. Es ergibt eine Folge von Täuschungsmanövern, die den Beweis antreten sollen, daß beides, Erwartung und Wahrnehmung, unzuverlässige Größen sind.

4. Die Ohnmacht der Bilder

Den Surrealismus berührt das nur am Rande. Magritte ist, von ein paar Gastspielen abgesehen, der Pariser Gruppe nicht nahegekommen, und Breton hat ihm erst spät seine Aufmerksamkeit geschenkt. 1928 ist er ihm keine Erwähnung in *Le Surréalisme et la Peinture* wert; erst 1941 erscheint sein Name, und zwar im Aufsatz »Genesis und künstlerische Perspektiven des Surrealismus«, den die zweite Auflage enthält. Im Text schreibt Breton, »das nicht automatische, im Gegenteil höchst reflektierte Vorgehen Magrittes unterstützt den Surrealismus. Als einziger, der diese Richtung vertrat, hat er die Malerei zu einer ›Lektion der Dinge‹ gemacht und unter diesem Blickwinkel den systematischen Prozeß des optisch wahrnehmbaren Bildes aufgezeigt. Dabei betonte er die Ohnmacht der Abbilder und ihre Abhängigkeit von Sprache und Denken.«[7] »Engel« und »Burg«, Bezeichnung und Stereotyp, stellen sich also auch von Bretons Seite her ein.

Im ersten surrealistischen Manifest spricht Breton von Bildern, von Wortbildern genaugenommen, die sich, wie er sagt, nicht mehr evozieren lassen, sondern sich spontan, ja tyrannisch anbieten. Wenn jemand ohne Kontrolle und Reflexion Sätze zu Papier bringt, die ihm möglicherweise das Unbewußte, am besten aber nicht der Verstand diktierte, so müssen widersprüchliche und disparate Wörter aneinandergeraten, die, so Breton, ein besonderes Licht entzünden. Später, in *Immaculée Conception*, haben er und Eluard solche Wortsituationen kalt, das heißt nicht mehr automatisch, hergestellt. Die Zufallsbekanntschaft der Wörter hat eine Umkehrung zur Folge. Denn das, was beim geordneten Schreiben als Metapher gilt, tritt hier als Sache selbst auf. Zwischen der Denotation und dem Wie-Vergleich entfällt jeder Unterschied. Bretons ansonsten nicht sehr inspiriertes Gedicht *L'Union libre* kann es illustrieren. Schon die Anfangszeilen »Ma femme à la chevelure de bois du feu / au pensée d'éclaire de chaleur« stellen die Frau und die Gedanken in die gleiche Reihe mit den Vergleichen, die auf diese Weise keine Vergleiche mehr sind. Das Haar gilt als Holzfeuer und, demnach, das Holzfeuer als Haar. Bild und Ding tauschen sich wechselseitig aus.

Auf einem gemalten Bild sehen solche Zufallsbekanntschaften anders aus. Das Holzfeuer als Haar einer Frau

tritt dinglicher und gleichermaßen ohne Nebensinn in Erscheinung. »Es gibt den Gedanken«, schreibt Magritte zum Thema, »der sieht und der sich anschaulich beschreiben läßt. ›Las Meninas‹ ist das sichtbar gewordene Bild eines unsichtbaren Gedankens von Velazquez. Also ist das Unsichtbare zuweilen sichtbar? Unter der Bedingung, daß ein Gedanke ausschließlich auf sichtbaren Formen beruht.«[8] Das Sichtbare hat eine zusätzliche Aufgabe. Wenn Magritte, wie Breton meint, die Ohnmacht der Abbilder und deren Abhängigkeit von der Sprache und dem Denken betont, so tut er es dadurch, daß er auf der sichtbaren Ebene in einem fort die Identität von mental set und gemaltem Gegenstand herstellt, Wahrnehmung und Erwartung also herbeizitiert, um sie gleich darauf zu trennen. Weil aber in den bildenden Künsten der Wie-Vergleich insofern nicht statthaft ist, als auch an Stelle des Haars ein Holzfeuer Holzfeuer bleibt, geht Magritte mit seinen Ge-

genständen, indem er sie absurd kombiniert, so vor, als
könnte er nur auf Wie-Vergleiche und nicht auf Denotationen zählen. Ein gemaltes Ding ist ein Abbild, also ohn-
mächtig, es sei denn, man käme überein, es nicht als Ding,
sondern als Vorstellung zu sehen.

Das führt dazu, daß Magritte ganz bewußt aufs visuelle
Vorurteil zurückgreift, denn auch hier handelt es sich
nicht um Dinge, sondern um etwas, das sich so und nicht
anders im Kopf darstellt. In den disparatesten Kombinationen gibt es Einzelheiten, die auf die Normalität als
Kehrseite hinweisen. Das brennende Stück Papier in
»L'Échelle du feu« ist eine durchaus normale Sache, die
das gleichermaßen brennende Ei und den brennenden
Schlüssel als Fiktionen deutlich macht. Dalí hätte zwar den
brennenden Schlüssel und das brennende Ei, auf keinen
Fall aber das ohnehin brennbare Papier gemalt. Indem
Magritte den Normalfall neben den Fiktionen zeigt, setzt
er sie förmlich in Anführungsstriche, oder aber er läßt
durchblicken, daß es sich um einen optisch verstandenen,
das heißt: sichtbar gemachten Wie-Vergleich handelt. Er
läßt, mit einem Wort, keinen Zweifel daran, daß er Fiktionen hergestellt hat und damit kein Dingmaterial aus
den Händen gibt, sondern durchschaubare Blendwerke in
alltäglicher Gestalt. Schließlich sieht er einen Gegenstand
anders auch als Dalí. »Ein Objekt«, so sagt er, »wird
darum nicht bedeutender, nur weil es in einem Gemälde
dargestellt ist. Der Fehler gewisser Künstler liegt darin,
das Gegenteil anzunehmen.«[9] Kein Ding nimmt demnach
für Magritte, nur weil es auf einer Leinwand erscheint,
eine zusätzliche Bedeutung an.

Magritte hat lange auf seinen Ruhm warten müssen. Er traf am Ende als Popularität ein, die eine neue Lesart von Bildern und Imagines im breiteren Publikum ermöglicht hatte. Zumal in den Großstädten haben sich Zeichensprachen, in Flughäfen, auf Verkehrsschildern, in Rechenzentren, gebildet, die auf allgemeine Ausübungen, auf die Praxis also, verweisen und die man, auf die Gefahr hin, die Praxis zu verfehlen, nicht ignorieren kann. Die naive Lesart eines Bildes, derzufolge die ungebrochene Wiedergabe eines Stücks Wirklichkeit wie ein Wunder wirkt, ist selbst unter Photographen in Verruf geraten, und ein mental set unterliegt nunmehr einer kürzeren Dauer. Auch haben die optischen Medien, entgegen Mac Luhans Formel, insofern zu einer Alphabetisierung beigetragen, als sie nicht nur Wörter benutzen, sondern Imagines entlassen, die reinen Wortcharakter zeigen.

Erwartung und Wahrnehmung haben folglich eine qualitative Veränderung erfahren. Sie beziehen sich auf eigene oder auf fremde Darstellungen, nicht vorderhand also auf eine primär zu nennende Wirklichkeit. Der Kinogänger, der Fernsehzuschauer oder der Illustriertenleser weiß, daß er Erscheinungen vor Augen hat, die entweder in Wirklichkeit oder in anderen Darstellungen verschiedenartige Züge annehmen können. Im Film hat sehr früh schon der Slapstick, indem er die Darstellungsweisen überdrehte, Dinge vertauscht. Chaplin läßt Brötchen tanzen oder ißt seine Schnürsenkel wie Spaghetti. Bei Magritte kommt etwas Ähnliches an den Tag, ein gemalter Slapstick, wenn man will, der allerdings, weil er auf einem Tafelbild stattfindet, eigene Kennzeichen trägt. Eines seiner bekanntesten Bilder zeigt eine sorgfältig ausgemalte Pfeife, unter

Ceci n'est pas une pipe.

der auf französisch steht: das hier ist keine Pfeife. Fraglos geht es darum, zunächst einmal zu demonstrieren, daß eine gemalte Pfeife keine wirkliche Pfeife ist. Gleich darauf muß man sich aber fragen, was, vorausgesetzt, man weiß, daß es sich hierbei um eine Darstellung handelt, die gemalte Pfeife sonst sein kann.

Dahinter steht ebenso ein Spiel mit Konventionen wie mit einem linear verstandenen Realismus. Einer der beliebtesten Trugschlüsse, die der common sense zu ziehen pflegte, war die Gegensätzlichkeit von Schein und Wahrheit in der Kunst. Ist, so fragte nicht allein die Banausie, eine Darstellung nicht ein Schein und folglich, was ihre Wahrheit betrifft, verdächtig? Einer, der so fragte, war Pierre Joseph Proudhon.[10] Unverdächtig nämlich wäre eine jede Kunst nur so lange, als sie sich an überkommene Wahrheiten hielte: ein gemalter Apfel ist ein Apfel, eine gemalte Pfeife ist eine Pfeife. Damit aber taucht eine Reihe von Ableitungen auf, mit der ein common sense seine Not hat. Denn kann man tatsächlich von den noch so sorgfältig ausgemalten Gegenständen verlangen, daß sie ohne weiteres mit den realen Gegenständen gleichzusetzen sind? Muß der gemalte Gegenstand unverzüglich den realen heraufbeschwören? Wer das bejaht, kann bereits vor einem Bild von Raffael in Verlegenheit geraten: ist das nun eine Madonna, wie es die Wahrnehmung will, oder, der kunsthistorischen Forschung zufolge, die Bäckerstochter Margherita Luti? Das Beispiel zeigt, in welchem Maß, auch rein ikonographisch gesehen, die Darstellung den gemalten und den realen Gegenstand entzweit, dergestalt, daß selbst den common sense Zweifel an der Beweiskräftigkeit der Realien überfallen.

Hier setzt Magritte ein. Bevor er den common sense ins Unrecht setzt, tut er so, als wolle er ihn rechtfertigen. Sämtliche Gegenstände, die er malt, sind sauber und sofort erkennbar aufs Bild gebracht. Daß sie in anormale Kombinationen verwickelt sind, schmälert, so scheint es, in keiner Weise die Möglichkeit, sie naiv zu lesen. Gleichzeitig aber kommt mit der Absurdität der Szenen zum Ausdruck, daß diese Gegenstände nicht das sind, was sie zu sein vorgeben. Indem der Apfel vor einem Gesicht schwebt, gilt er weniger als Apfel denn als Verneinung des Gesichts. Wenn aber der gemalte Gegenstand derart ins Auge fällt, könnte man, so scheint Magritte zu fragen, dem, der Bilder naiv liest, doch einen Schritt entgegenkommen. Das Ideal eines solchen Beschauers wäre zweifellos ein Bild, das eine über jeden Zweifel erhabene Inschrift trüge: das hier ist eine Pfeife, das hier ist ein Apfel. Die Kunst käme damit zu einer Eindeutigkeit, von der, so zumindest sah es einmal aus, die Krämer, die Kneipenwirte, die Klassenlehrer und, in Hitlers Deutschland, die Killer träumten.

6. Zwei Aussagen

Diesem Traum macht Magritte nicht nur dadurch ein Ende, daß er seine Gegenstände anders zusammenstellt, als der common sense es vorschreibt. Er führt den mental set mit dessen eigenen Mitteln ins Absurde. Auch benutzt er die Wörter derart regelwidrig, daß sie den auch dem common sense nicht fremden Verdacht, zwischen den realen und den gemalten Gegenständen könnte ein Unterschied bestehen, verstärken. So wie er Wolken dorthin malt, wo sie nicht hingehören, auf den Rücken eines Mannes, so malt er Wörter und Gegenstände, die nichts gemein haben, ins gleiche Bildstück. »Himmel« heißt ein gemaltes Sechseck, darin das Wort steht, »Traurige Frau«, ein gerahmtes Oval mit den entsprechenden Wörtern. »Das hier ist keine Pfeife« meint das gleiche in einer anderen, durch den verständlichen und gegenstandsbezogenen Satz unterstrichenen Verbindung. Zwar hält der Satz sich an die Pfeife, damit aber hat es nicht sein Bewenden. Denn der Satz ist wie die Pfeife auf dem Bild präsent. Er meint das Gegenteil von dem, was die gemalte Pfeife aussagt. Beide Aussagen aber stehen sich gleichwertig gegenüber, so daß sich dem naiven Beschauer unweigerlich die Frage aufdrängt, welche Aussage wahr ist und welche unwahr. Mit dieser Frage spekuliert Magritte; er beantwortet sie jedoch mit einem Gedankensprung: es geht nicht darum, daß eine der Aussagen wahr ist und die andere falsch, entweder also die Pfeife als Pfeife gilt oder der Satz, der sie annulliert. Vielmehr soll man beide Aussagen als illusorisch, Satz und Pfeife als willkürliche Fabrikate des Malers nehmen, gleichzeitig aber nicht aus den Augen verlieren, daß beide gleichzeitig wahr sein könnten. Denn beide Buchstäblichkeiten treffen für sich auch dort zu, wo sie, kombiniert, als Widersinn erscheinen. Natürlich ist das eine Pfeife, natürlich ist das keine Pfeife.

Wort, Illusion und Gegenstand sind somit, auch wenn sie im gleichen Bild erscheinen, verschiedene Dinge. Bilder sehen bedeutet für Magritte, auf der nun einmal gegebenen Fläche die Bedeutungsebenen zu trennen. Bald vereinigt ein Name Dinge, bald äußere Ähnlichkeiten, meistens aber sind sie auf eine Weise geschieden, die Magrittes Kombinationen paradoxerweise nur unterstreichen. In einem Schaubild, das er 1929 veröffentlicht hat und das Dinge, Imagines und Namen behandelt, zeigt er ein Pferd neben einem Gemälde, das ein Pferd zeigt, und einen Mann, der, einer Sprechblase zufolge, »Pferd« sagt. Die Überschrift lautet: Ein Gegenstand leistet nicht den gleichen Dienst wie sein Name oder sein Bild. Dieses scheinbar didaktische Beispiel enthält jedoch die für Magritte typische Falle. Ein Gegenbeispiel kann es deutlich machen. Dreißig Jahre später hat der Konzeptkünstler Joseph Kossut ein originalgroßes Photo von einem Stuhl sowie eine Ablichtung des Lexikonstichworts »Stuhl« in eine Kunstausstellung gehängt und dazwischen einen realen Stuhl gestellt. Allein, der springende Punkt in Magrittes Demonstration bestand darin, daß jenes Pferd, das als real gelten sollte, ein gezeichnetes Pferd war; es also eine ihm ungemäße Funktion als reales Pferd wahrnahm. Spiegelverkehrt kommt damit die Pfeife mit dem sie annullierenden Satz zurück: es geht nicht um das bloße Gegenüber von Ding und Darstellung, sondern um die Teilung der Darstellungsebenen durch ein Paradox. Auf dem Schaubild sieht man dreimal ein Nicht-Pferd; auf dem Bild mit der Pfeife einmal die illusorische Pfeife, zum anderen, durch den Satz, die Nichtpfeife in einer allerdings durch den Satz gewährleisteten Anwesenheit. Um Nicht-Pfeifen aber handelt es sich in beiden Fällen oder um zwei Hypothesen zum Thema Pfeife.

7. Provinz und Alltag

Solche logischen Explosionen im kleinsten Raum, die in keiner Weise imstande sind, die Grenzen dieses Raums zu sprengen, lassen an Magrittes Gestalt denken, die, eine Melone auf dem Kopf und über dem Bauch die Weste, jenes Belgien zu repräsentieren scheint, von dem Baudelaire in den im Nachlaß gefundenen Notizen nur Übles zu berichten wußte. Brüssel, kulturell eine Provinzstadt, gleichzeitig die Metropole eines behäbigen und lokalen Bürgertums, wird als Stadt der schwarzen Seife und der Spähspiegel beschrieben, darin nur die Hunde, Belgiens Neger, lebendig sind. Etwas davon tritt in Magrittes Bildern zutage. Ihre Paradoxie nämlich weist beständig auf die Enge der Lebensverhältnisse hin, die erträglich nur dann zu sein schien, wenn ein Widersinn sie aufzulösen versuchte. In Magrittes Gesichtskreis haben Provinz und Alltag Formen angenommen, von denen er mitunter in den Wendungen der Verzweiflung spricht. »Ich bin um neun Uhr aufgestanden«, so heißt es einmal, »ich bin im Eßzimmer und in der Küche etwas herumgegangen, ich habe einen Blick in den Garten geworfen. Um elf Uhr hat sich meine Frau, der nicht gut war, hingelegt. Ich habe an meiner Gouache gearbeitet, ein zweites Stückgut für meine Ausstellung. Um zwei ist Georgette aufgestanden und ich habe das Essen zubereitet. Hinterher bin ich mit dem Hund weggegangen. Brr. Dann ging Georgette zu ihrer Schwester. Das ist mies, das ist finster. Ah, das ist zum Kotzen. Das ist widerwärtig, bedrückend, das Leben ist unerträglich.«[11]

143

Diese geradezu bleierne Atmosphäre kommt in den Bildern verdeckt zwar, aber unübersehbar zum Vorschein. Kaum daß sich Gegenstände einfinden, die nicht in einem Kleinbürgerhaushalt herumliegen. Und selbst eine phantastische Landschaft wie die vom steinernen Adler gekrönten Berge, von Magritte, einem Verehrer Poes, »La domaine d'Arnheim« genannt, erinnert noch an einen Reiseprospekt. Sonn- und feiertags, wenn er mit Freunden ins Grüne fuhr, hat er Photos aufgenommen, deren Spaßigkeit die Bildeinfälle nicht einmal persifliert. Am liebsten, so heißt es, hat er seine Staffelei im Eßzimmer aufgestellt, so als ob er den Essensgeruch nicht missen wollte. Dazu paßt es, daß ihn die Malerei wiederholt wie eine Fron ankam. Sie bringt Langeweile mit sich, die sich vom Baudelaireschen Ennui schon deshalb unterscheidet, weil sie ungewollt ist. »Wie delikat ist die Malerei«, so schreibt er, »wie unlösbar. Das ist an sich zum Kotzen, das ist zum Kotzen, wenn man es machen muß, es ist zum Kotzen, sich auf den Markt zu begeben.«[12]

Mit den lustlosen, trockenen und, wenn man sie als Malerei nimmt, oft reizlosen Bildern, kommt Magritte immerhin darauf, seinen Alltag, indem er Gegenstände zwar zeigt, sie aber ebenso in andere verkehrt, zu übertrumpfen. Die Auflösungen und Kombinationen, das Brot in der Luft und der Satz, der die gemalte Pfeife leugnet, drehen die Abgeschmacktheit mit einem Minimum an Aufwand um sich selbst. Es wäre zuviel gefordert, wenn man von Magritte verlangt hätte, seinen Brüsseler Alltag gegen den Pariser oder den Londoner einzutauschen. Er wäre sich nicht mehr sicher gewesen, wogegen er sein Unbehagen hätte richten können, und vor die Tatsache gestellt, in diesen Städten Gegenstände aufzufinden, die ihn womöglich fasziniert hätten, wäre ihm sein eigentliches Bildmaterial abhanden gekommen. Nur ein imaginäres Paris, London oder New York rückte das, was er zum Kotzen fand, in die Perspektive. In Brüssel stand Magritte allein. Seine Gefährten müssen, Kinogänger, der er war, Laurel und Hardy mit der Melone auf dem Kopf, Chaplin oder Buster Keaton gewesen sein. Seine Bilder bringen auf ähnliche Weise Folgewidrigkeiten an den Tag, die ohne Normalität nicht denkbar sind. Es ist wahr, es geht hier um eine Normalität, ohne die der Argwohn, mit dem Magritte ihr begegnet ist, nicht sichtbar wäre.

Denn nimmt man den Argwohn und den Überdruß wörtlich, so muß man sich vor Augen halten, daß sie sich gegen eine Welt der Dinge richten, die im Lot ist. Natürlich ist das, nicht die Kunst, ein Schein. Die Alltäglichkeiten, an denen Magritte sich stieß, waren die, denen ein französisches Sprichwort einen Platz für jedes Ding und jedes Ding an seinem Platz zuschreibt. Es geht dabei nicht um den Platz und die Dinge, sondern um den Ordnungsbegriff, der sie, wie Duchamp einmal sagte, in eine »peinlich genaue Monogamie« bringt. Die Ordnung bräche in dem Augenblick zusammen, da ein Brot vor dem Fenster schwebte oder man sich nicht mehr darauf verlassen könnte, daß eine Pfeife eine Pfeife sei. Magritte organisiert eine solche Unordnung nur auf den Bildern: was aber andrerseits die Bilder derart verwirrt, ist die Ordnung, mit der sie komponiert worden sind, und die Deutlichkeit, mit der die Gegenstände auftauchen. Es ist eine Persiflage der Ordnung und der Dinge an ihrem rechten Platz. Nicht nur hier gibt sich Magritte als der Kleinbürger französischen Einschlags, der er war: mißtrauisch, renitent und auf der sozialen Leiter lieber unten als oben stehend. Nach dem Krieg war er eine Zeitlang Mitglied der kommunistischen Partei. Der richtige Ort für seine Skepsis dürfte das nicht gewesen sein: die Skepsis war seine Tugend und sein Makel. Seine Negativität liegt auf der Hand. Das ändert aber

nichts an der Auskunft, die seine Bilder gerade heute ertei-
len. Wer sich nämlich darauf einläßt, seinen Kombinationen und Hypothesen zu folgen, sollte den Umstand nicht
vergesssen, daß der common sense, der hier in Zweifel gezogen und mit Sarkasmen überschüttet wird, seine *beliefs*
und seine Beweiskraft längt eingebüßt hat. Dieser Verlust
kann nur Schadenfreude auslösen, und die Schadenfreude, beizuwohnen, wie Engstirnigkeiten auf den Bildern ins
Wanken geraten, gehört zu ihrer Rezeption.

Grandville und Posada

In der Illustrationsfolge zu *Un autre monde* gibt es eine Anzahl von Zeichnungen, die aus der Vogelperspektive gesehen sind. Was die Zeichnungen im einzelnen wiedergeben, zählt nur nebenbei. Die Straßenszenen mit Gauklern, Akrobaten und dem sie umgebenden Publikum, die in Pelerinen gehüllten Gestalten oder die Vendômesäule muten an, als habe der Zeichner sich selber in eine Position bringen wollen, dank der er Alltäglichkeiten umdrehen, wenn nicht gar abnorm darstellen kann. Es stimmt schon, eine solche Perspektive ist ein Kunstgriff. Grandville gibt zu verstehen, daß die Szenen durch das Hochkippen jener Realität entsagen, die sie, von vorn gesehen, ausweisen würden. Die Originalität oder das Absurde wird durch den Blickwinkel gerechtfertigt. Als Vorderansicht wären die Szenen und, vor allem, ihr Personal, harmlos. Der Zeichner, so kann man folgern, setzt sich in einem fort von dem ab, was er zeichnet: er braucht, sobald er Alltäglichkeiten gegenübersteht, den distanzierten Blick. Grandville macht insofern keinen Hehl aus der Unnatur seiner Sujets, als er die Verkehrungen derart ausgedacht ins Bild bringt, daß sich aus Haut und Haar, aus Fleisch und Blut und den Realien Metaphern ergeben müssen, deren Körperlichkeit allein aus Linien und Schraffuren besteht.

Ähnliches gilt von den Vorderansichten. Weniger in ihrer Faktur als in ihren Verschiebungen erinnern sie an Dalí. Überdimensionierte Geräte wie eine Sprungfeder oder eine Gitterschere tauchen in Zusammenhängen auf, darin sie den Kausalitäten in die Quere geraten müssen. Mischfiguren in Form von Vogel- und Käfermenschen wirken durch die Normalität ihres Verhaltens ebenso paradox wie vertraut. Grandville hebt nicht nur die Proportionen auf, sondern die Gesetze der Schwerkraft ebenso wie die überlieferten Ansichten von Himmel und Erde. Mehr noch: er übertrumpft mitunter das Phantastische mit einer neuen Art von Schreckensvision: die, von der man annimmt, daß sie die Banalität ihres Ursprungs mitschleppt.

Als Zeichner, so muß man hinzufügen, wirkt Grandville unbeholfen. Er hebt die Linienführung vom Raum ab, den das weiße Papier bereithält; er setzt Schraffuren als Verlegenheitslösungen oder als Übergänge stets dort ein, wo er die einzelnen Definitionen nicht in Einklang bringen kann. Zeichnend buchstabiert er: einer fliegenden Mühle, als Holz- oder Vogelhaus abgebildet, fügt er vier Federn symmetrisch in den Himmelsrichtungen an. Vögel füllen die Luft aus; eine Wolkenbank ergibt sich aus Schraffuren, und unten, abermals verkürzt und aus der Vogelperspektive gesehen, winken vier Gestalten der sie überfliegenden Mühle nach. Im Hintergrund ragen Kirchturmspitzen und eine Wetterfahne knapp über den Horizont. Wer dieses Blatt aus *Un autre monde* mit Wörtern beschreibt, macht sich keiner Vereinfachung schuldig. Grandvilles Zeichnungen lassen sich, wie Jacques Préverts Inventar, Stelle für Stelle und Figur für Figur beschreiben. So absurd sie auch wirken mag: die Zeichnung selbst, als Materialität, als Zusammenschluß von Linien und Schraffuren, setzt keine Eigenwerte frei. Sie ist kein Anschauungsmaterial, sie ist ein Lesestoff. Schriftsteller und Literaten haben in Grandville einen Gleichgesinnten gesehen und zu seinem Ruhm beigetragen.

Mit einer Ausnahme. Baudelaire hat an Grandville Kritik geübt und ihn als klinischen Fall abgetan. Grandville, so heißt es, verbrachte sein Leben damit, Ideen zu suchen. Manchmal fand er sie. Aber weil er Künstler von Beruf

und Literat von Verstand war, konnte er beides nie plausibel machen. Baudelaire wirft ihm vor, daß er zwar viele Lebensfragen berührt hat, trotzdem aber im Ungewissen enden mußte: weder war er ein Philosoph noch ein Künstler. Er habe, so heißt es später, die Welt auf den Kopf gestellt, aber er war von eigensinnigen und kleinlichen Gewohnheiten gezeichnet und besaß keine Leichtigkeit. Hier fällt ein Satz, der aufmerken läßt: er habe es nie verstanden, eine Frau zu zeichnen. Es handele sich um einen krankhaft literarischen Geist, der stets nach Mitteln zweifelhafter Herkunft suche, um seine Gedanken in die bildende Kunst zu überführen.

Nun hat Baudelaire, wie vor ihm Lessing, die Kunstgattungen säuberlich getrennt. Er hat des langen und des breiten Künstler verurteilt, die gemalte Bilder mit Philosophie und Romanplots besetzten. In dem Aufsatz *Quelques caricaturistes français*, worin er Grandville ablehnt, stimmt er ein paar Absätze zuvor ein Loblied auf Daumier an. Daumier aber hatte, verglichen mit Grandville, nichts mit einer sozial nicht zu bestimmenden Unnatur im Sinn: um so merkwürdiger wirkt es, daß Baudelaire, der Stil und Unnatur, wo immer es nötig war, verfocht, Daumier den Vorzug vor dem verstiegenen Grandville gab. Die Antwort erteilt der Umgang mit dem Zeichenmaterial, das Buchstabieren bei Grandville, das großzügige Verfahren bei Daumier, mit Raum, Tonwert und Strichen Dinge einzufangen. Aus diesem Verfahren entstehen Karikaturen und Übercharaktere, während Grandville seine Abnormitäten den zeichnerischen Mitteln auferlegt. Daumier muß obendrein für Grandville eine Gegenfigur gewesen sein, mit der zu konkurrieren er aufgab. Denn angefangen hatte dieser Zeichner des Absurden als politischer Karikaturist für Phillipons *Caricature* und *Le Charivari*, die auch Daumier zu ihren Mitarbeitern zählten. In dem Maß, wie Daumiers Prestige zunahm, zog sich Grandville von den Tagesgeschäften zurück, bis er nur noch Bücher illustrierte, auf seine Weise allerdings: blättert man die Zeichnungen zu *Un autre monde* durch, so kommt man darauf, daß Grandville eine Technik entwickelt hat, die sich weniger auf Formen als auf Mißbildungen beruft. Instrumente werden von Gespenstern gespielt; Apparate gehen in menschliche oder tierische Formen über; Eulen, Enten oder Füchse treten, anthropomorphisch verzerrt, als Tagelöhner auf, während menschliche Figuren in Verkleidungen und Verzerrungen als Hampelmänner erscheinen.

Immerhin kann es geschehen, daß eines Tages die Abnormitäten mit der objektiven Wirklichkeit zusammenfallen. Das krankhaft Literarische wirkt somit glaubwürdig als Stoff. Das geschieht im Fall einiger technischer Utopien, mit den Flugkörpern zum Beispiel, die Grandville zeichnend vorweggenommen hat. Auf der anderen Seite wirkt das Fremdartige, ob krankhaft oder nicht, noch heute fremd. Grandville hat sich an widersinnige Gerätschaften oder an Monster aus dem Hühnerhof gehalten: er hat, vor der Zeit, ein Bürgertum festgehalten, das aus den Nähten platzt. Von Benjamin stammen diese drei Sätze: »Unter Grandvilles Stift verwandelt sich die gesamte Natur in Spezialitäten. Er präsentiert sie im gleichen Geist, in dem die Reklame ihre Artikel zu präsentieren beginnt. Er endet im Wahnsinn.«

Grandville starb 1847. Fünf Jahre später, 1852, im Jahr, da sich Louis Napoleon nach seinem 18. Brumaire zum Kaiser krönen ließ, wurde am anderen Ende der Welt José Guadalupe Posada geboren. Auf den ersten Blick haben seine in Holz geschnittenen Szenen aus dem Alltag Mexikos einiges mit den Zeichnungen Grandvilles gemein. Eine Unnatur, so sieht es aus, beherrscht das Dargestellte; die Figuren sind in absonderliche Handlungen verwickelt, die von Aberglaube und Grausamkeit nur so strotzen. Ehemänner erschießen ihre Frauen; Ahnen kehren als Gespenster, den Totenkopf in einen schwarzen Umhang gehüllt, wieder; ein Lustmörder schneidet seinem jungfräulichen Opfer die Kehle durch. Sieht man allerdings genauer hin, so stellt der Mexikaner, nicht nur seiner sozialen Herkunft, sondern seiner ganzen politischen Einstellung wegen, das genaue Gegenteil von Grandville dar. Als

Posada fünfzehn ist, wird in Mexiko jener Maximilian erschossen, den Louis Napoleon als statthaltenden Kaiser dorthin geschickt hatte. Damit nimmt eine revolutionäre Bewegung ihren Lauf, die sich über Jahrzehnte hinwegzieht, von Gegenregierungen niedergeschlagen wird, in Erhebungen wieder aufflackert, Erdölkonzerne und Guerillaführer auf den Plan ruft und die *violencia* als vertraute Erscheinung in Stadt und Land willkommen heißt.

Posada war ein Volkskünstler, und das nicht nur im übertragenen Sinn. Eher als ein Künstler war er ein Berichterstatter, was die Überspitzung seiner Themen erklärt. Unter anderem arbeitete er für eine »Gaceta callejera«, ein Straßenblatt, das, wie der Untertitel sagte, nur dann erschien, wenn sich eine Sensation anbot. Es sind die Sensationen, wie sie, noch heute, in der schwarzen Chronik italienischer Zeitungen erscheinen und bereits in ihren Schlagzeilen banale Surrealitäten ausrufen. Posada hat solche Schlagzeilen nicht nur illustriert, er hat sie in seinen Holzschnitten auf einen optischen Nenner gebracht, der die Wörter ausstach. Gleichzeitig aber arbeitete er für oppositionelle Blätter; er illustrierte Flugschriften, Kinderbücher und Bänkellieder für die Straße. Man nimmt an, daß er allein für das Verlagshaus Vanegas Arroyo fünfzehn- bis zwanzigtausend Holzschnitte angefertigt hat. Dadurch, daß er sich für den Holzschnitt entschied, hatte er den Vorteil für sich, nicht nur eine Zeichnung, sondern auch den fertigen Druckstock zu liefern, teure Reproduktionsverfahren also zu unterbieten. Folglich war sein Atelier ein Laden, dessen Straßenfront mit großgemalten Buchstaben anzeigte, daß sich hier eine Graphikwerkstatt befand, die Aufträge für Illustrationen in Zeitungen, Büchern und Inseraten annahm. Aus dem Laden kamen, wie es sich von selbst versteht, eine Unzahl von Schnitten, die als Gebrauchsgraphik ihren Anlaß nicht überdauerten: zumal die offenbar nach Photos gearbeiteten Bildnisse von Stierkämpfern und Zirkusartistinnen buchstabieren lediglich einen Schnappschuß nach.

Nur war Posada alles andere als ein braver Ladenbesitzer. Dort, wo er vom Thema gepackt war, wimmeln die Holzschnitte von Tod und Teufel, von schießenden Banditen und Soldaten, von ganzen Handgemengen, deren groteske, oft den Volksmund illustrierende Zusammenstellung an Grandvilles Hirnwebereien erinnert. Diese Phantastik allerdings ist eine populäre, eine sehr mexikanische außerdem, die sich weniger in Attributen wie Sombreros oder Umhängen äußert als in den monströs gemeinten Mischfiguren aus Drachen, Echsen und Schlangen toltekischer oder aztekischer Herkunft. »Sensation«, so heißt ein Flugblatt aus dem Jahr 1890, »eine Frau schenkt drei Kindern und vier kleinen Monstern das Leben.« Die Frau liegt, aufgebahrt fast, auf dem Bett; das Gesicht der Hebamme drückt Schrecken aus, und der Vater äußert, mit tatsächlich gesträubtem Haar, gestikulierend das gleiche Entsetzen vor dem Tisch, darauf drei mumienhafte Säuglinge liegen, während die vier Monster, halb Leguane, halb Kröten, offenen Maules, so als lachten sie, auf dem Boden herumkriechen.

Am bekanntesten ist Posada mit seinen »Calaveras«, den Totentänzen, geworden. Naivitäten und Ungeschicklichkeiten, die viele seiner kommerziellen Blätter beeinträchtigt haben, fallen hier fort. Im Spanischen ist »Calavera« ein Totenkopf und ein Schwerenöter. Die Skelette sind von einer frappierenden Ausdruckskraft, derart, daß man nach einer Weile ihr Gebein übersieht und sich dafür an ihr Mienenspiel und an ihre Kleidung hält. Der Tod ist ein mexikanischer Alltagsmythos mit sogar freundlichen Zügen: ein Freund Hein, der, weil er sich sozialer Interessen rühmt, auch Mitbürger Hein heißen könnte. Posada führt

ihn wiederholt strahlenden Lächelns, wie eine Zahnpasta-reklame, vor; auch raucht der Tod, als Geck gekleidet, eine dicke Zigarre, oder er tritt, mit gewaltigem Schnurrbart, Sombrero, Munitionsgürtel und in der Hand die Flinte, als Revolutionär auf. Ein »witziges und ergötzliches« Skelett zeigt sich, von anderen Gerippen begleitet, mit einer Doña Tomasa und einem Wasserverkäufer, die ihrerseits Ge-rippe sind. Diese Metamorphosen geben sich, auf eine an-dere Weise als die Grandvilles, überspannt: die objektive Wirklichkeit hat etwas Halluzinatorisches an sich. Posada hat kaum etwas erfunden: er hat in Holz geschnitten, was er sah und, vor allem, was er hörte. Er hat die sprichwört-liche Stimme des Volkes in Bilder übertragen, wenn sie munkelte, Gerüchte ausspann, Anteil nahm oder Spott äußerte. Die Bilder waren das Entgelt für eine Bevölke-rung, deren Mehrheit nicht lesen konnte, die Hunger litt und sich, auf Schleichwegen oder mit der Waffe in der Hand, gegen Unterdrücker wehrte. Posada demonstriert, daß es ihr an Imagination und Witz nicht gefehlt hat: er gab ihr Kino, Comics und Kunst zurück.

Kein Lösegeld für Lichtenstein

Steht die Kunst im Dienste des Kaufmanns, so ist der
Abend seiner Erholung an ihr gewidmet. Das ist viel ver-
langt von der Kunst, aber sie und der Kaufmann schaffen es.
Karl Kraus

Sagt man den falschen Leuten, daß Lichtensteins Bilder
abscheulich sind, so wird man auf begeisterte Zustim-
mung stoßen. Die falschen Leute haben es an sich, jede
Abscheulichkeit für eine Wende in der Kunst zu halten.
Die gebildeten unter ihnen werden auf die »Demoiselles
d'Avignon« verweisen, vor denen anfangs sogar Braque
sagte, das ist, als sollten wir nunmehr statt unserer
gewohnten Kost Werg und Paraffin essen. Es ist wahr,
die falschen Leute denken mechanistisch, weil sie glauben, den Vorläufer Lichtenstein entdeckt zu haben, wo
doch Lichtenstein sie, die falschen Leute, entdeckt hat.
Sie stehen mitten im Leben, das für sie ein Layout
ist.

Auch Lichtenstein kann sich auf das Leben berufen.
Überträgt er es nicht in die Formen des Comics oder der
Reklamezeichnung, die ihrerseits nicht einmal mehr
Kunst, sondern das Leben im Dienste des Kaufmanns
sind? Jedenfalls malt er diese Vorlagen auf überdimensio-
nale Leinwände, wo sie, mit Sprechblasen versehen und so
ausgerastert, daß man sie für Drucksachen halten könnte,
eine Vitalität geltend machen, die auf den ersten Blick ver-
blüfft. Die strohblonde Frau, die vor einem ebenso stroh-
gelben Wecker wartet, überwältigt förmlich die Bildflä-
che. Riesenlettern, die Laute wie »Blang« oder »Whaam«
ins Bild bringen, fallen im Wortsinn ins Auge. Es nimmt

wunder, daß Lichtenstein sich der Mühe unterzog, auch zusammenhängende Wörter in seine Sprechblasen einzuschreiben. In ihrer Überdimensionalität gewinnen sie ein Gewicht, das die eigentlichen Comic-Leser, kaum dem Analphabetismus entronnen, in Verwirrung stürzen müßte.

Natürlich kann man das Ganze auch umkehren. Nicht der Kaufmann zählt, sondern die Kunst, obwohl es beide mit vereinten Kräften schaffen. Lichtenstein legt einigen Wert auf die Kunst. Zumindest will er die Comic-Formen und die Reklamezeichnungen als Vokabular und als Bildelemente verstanden wissen. Hört man darauf, was er zu seinen Bildern sagt, so glaubt man, einem schizophrenen Vorgang beizuwohnen. Denn der Maler meint offenbar etwas anderes als das, was in seinen Bildern zu sehen ist. Lichtenstein äußert sich streckenweise sogar als Purist. Andrerseits fasziniert ihn die Geschwindigkeit, mit der sich ein jeder die Comics oder die Reklamezeichnung zu eigen macht. Wie viele amerikanische Maler seiner Generation hat er seine Schwierigkeiten mit Cézanne und den Kubisten: sie sind ihm zu komplex und zu »individualistisch«. Cartoons hingegen, so meint er in einem Interview mit John Coplans, sind für die Vielen gedacht, und hier unterschlägt er, auf die Gefahr, daß man's breittritt: im Dienste des Kaufmanns. Mehr noch: die Dinge, so scheint es, werden erst zu Dingen, wenn sich die Reklamezeichnung ihrer annimmt. Im gleichen Interview heißt es, eine Bockwurst sehe in keiner Weise wie Lichtensteins Version aus; man findet im Gegenstand keine schwarzen Umrisse, keine Rasterpunkte und keine weißen Glanzlichter. Auf dem Bild aber werde aus der Form ein dekoratives und abstraktes Objekt, das ein jeder sofort als Bockwurst erkennt. So entstehe ein übertriebenes und unwiderstehliches Symbol, das mit dem Original nichts mehr zu schaffen hat. Das Leben, so kann man folgern, wird ein solches erst aus zweiter Hand.

Lichtensteins Erfolg muß mehr sein als ein bloßer Zufall. Wenn sich, mit Ausnahme der *Peace News*, die britische Presse zu einhelligen Lobsprüchen verleiten läßt; wenn die Kunstwelt im engeren Sinn Lichtenstein als einen der ihren feiert; wenn, unabhängig davon, ein breiteres Publikum Schlange vor dem Einlaß der Tate Gallery steht, so dürfte es naheliegen, daß ein Maler der Stunde auf die Beschauer der Stunde gestoßen ist. Hier stellt sich eine Aktualität ohne Rücksicht auf eine Vergangenheit und eine Zukunft dar. Aber dadurch, daß Lichtenstein in erster Linie aktuell ist, gerät er in ein totes Rennen. Er entzieht sich der Kunst auch dort, wo sie eine indirekte Geschichte an den Tag bringt: die »Demoiselles d'Avignon« hingen an Cézanne und an den von Derain und Vlaminck zusammengekauften Negerplastiken. Wer vor Lichtensteins Bildern gutwillig an Léger oder an den unterschätzten Stuart Davies denkt, wird alsbald eines besseren belehrt. Im gleichen Interview sagt Lichtenstein, er hat mit Léger nie viel anfangen können; er habe sich gedacht, Léger male Klischees. Später aber habe er seine Meinung geändert: er räume schon eine oberflächliche Verwandtschaft ein, denn schließlich arbeite auch er, Lichtenstein, mit Klischees. »Klischee« ist ein Paßwort, wenn nicht ein Alibi. Stuart Davies gefällt ihm besser; auch hier aber macht er seinem Ärger über den Kubismus Luft, dessen Einflüsse er in Davies' Bildern reklamiert. Dieses Wegputzen der Vergangenheit zugunsten von Cartoon und Comic kommt deutlich in einem Bild zum Ausdruck, einem Erholungsbild, darin Lichtenstein einen Picasso in seine Comic-Sprache übersetzt. Raster nämlich und gleichförmige Linien treiben dem Motiv das aus, was vor dem Resultat als Malprozeß ablesbar war. Picasso hat mit seiner Frauenfigur zugleich den Vorgang erfunden, durch den das Bild überhaupt erst zustande kam. Die Anwesenheit der Frau und ihr Verschwinden halten sich die Waage. In Lichtensteins Version erscheint diese verdrehte Figur mit dem Blumenhut auf dem Kopf als ein Ensemble ungelöster Ornamente, das obendrein unsinnige Assoziationen freigibt. Ein Ohr sieht aus wie ein Aufziehschlüssel, ein Stuhlteil wie ein Bienenkorb. Das aber zeigt, in welchem Maß Lichtenstein der Dingwelt, und sei es nur der eines Picasso, hilflos ausgeliefert ist. Weder besitzt er eine Sehmethode, noch kann er sich auf die Malerei als Übersetzung berufen.

Bevor man diesen Mängeln nachgeht, muß man sich vor Augen halten, daß gerade sie zu seinem Erfolg beitragen. Es sieht so aus, als käme in seinen Bildern eine bislang verborgene Neigung von seiten der Beschauer ans Licht. Die Kunstwelt hat auf Neuzugänge zählen können, die sich nicht allein mit einem Generationswechsel erklären lassen. Der Kaufmann ist ein anderer Kaufmann als der, den Karl Kraus ins Bild hob. Mit ihm hat sich George Grosz auseinandersetzen müssen, und an ihm ist er abgeglitten. Der Großbürger, für Kahnweiler noch der ideale Kunde, hat das Feld vor denen geräumt, die im angelsächsischen Bereich die middle class heißen und mit dem Begriff Kleinbürgertum nur unzulänglich bezeichnet sind. Kracauer sprach einmal von Angestelltenkultur. An ihren oberen Rändern hat man für Höhenflüge und für Erholung, zumal wenn sie und die Kunst es schaffen, eine Schwäche entdeckt. Orientiert nicht nur an Museumsbesuchen, an Auktionsberichten in der Tagespresse und am Abbildungsmaterial der coffee-table-books hat diese Schicht zur Einsicht gefunden und die Abneigung ihrer Väter, die moderne Kunst betreffend, abgelegt. Dazu trägt eine Bildwelt bei, die nicht nur aus bunten Photos, sondern mittlerweile aus Bildverkürzungen besteht und zunehmend die

Aufmerksamkeit der Großstadtbewohner in Anspruch nimmt. Will Babbitt nunmehr ungeschoren durch das Zenith der Reklametafeln und Verkehrsschilder kommen, kann er nichts mehr gegen Miró oder Klee haben. Blickfänge, Überschneidungen und Sehgeschwindigkeiten spielen nicht mehr eine zufällige, sondern eine zentrale Rolle. Ein Beispiel steht für viele. Die beiden Fassungen einer kommerziellen Produktion wie »High Society« steigern den Anspruch der Bild- und der Ploteinlagen: während der frühe Film mitunter schleppend, obendrein von langen und expliziten Dialogen verzögert, abläuft und somit auf den heutigen Zuschauer langweilig wirkt, springt die spätere Fassung mit Zusammenschnitten, Situationsblenden und optischen Kurzschriften über die Längen der alten Fassung hinweg. Nimmt man Richard Lesters »Petulia« hinzu, so hat man nur noch eine Montage vor Augen, die sogar den Plot angreift und ständig das Kombiniervermögen des Zuschauers herausfordert. Wer sich nun im Kino mit den Bildverkürzungen auskennt, man kann auch das Fernsehen, den Großstadtverkehr und die Flächenwerbung als Beispiele anführen, der wird in den Bildern eines Picasso, eines Max Ernst oder eines Klee kaum noch Geheimnisse finden. Es stimmt schon, diese Vertrautheit reicht nicht weit. Die Plakatwelt und die telekinetischen Bilder verlangen Entschlüsselungen nur im engsten Raum: Tatsache aber bleibt, daß moderne Kunst, auch wenn sie mit weniger Glamour an den Tag kommt, keine Schrecken mehr verbreitet.

Die Erholung steht auf einem anderen Blatt. Für den Abend ist »Petulia« nicht gedacht. Wenn aber eine Kunst ohne Aufwand, als unverschlüsselte Bilderwelt, in Erscheinung tritt? Als Bilderwelt überdies, die reproduziert, was Comics, Fernsehspots und Inserate preisgeben? Dem Beschauer wird hier eine Vertrautheit zuteil, die weder

Sehweisen, ästhetische Aufgaben oder Entschlüsselungen erfordert. Die Pop Art, zu der Lichtenstein gerechnet wird, ist eine Kunst der Nachfrage, die dem alten und dem neuen Publikum das Gefühl vermittelt, Realitäten, das wahre Leben also, mit dem, was an der Wand hängt, in Einklang zu bringen. Das Aha-Erlebnis und das déjà-vu sind nunmehr wesentliche Kunstmomente, nicht nur für den Kaufmann, sondern ebenso für den Künstler. Im Fall der Lichtenstein-Ausstellung hat das zu Mißverständnissen geführt: es muß unter den Besuchern der Tate Gallery, Berichten zufolge, naive Leute gegeben haben, die nach Batman oder Modesty Blaise Ausschau hielten. Daß sie düpiert worden sind, gehört zu Lichtensteins Ästhetik: er bedient sich der Comics, nicht um etwas zu erzählen, sondern um eine Trennungslinie zu anderen Kunstäußerungen zu ziehen. In einem Interview mit George Swenson sagt er: »Ich glaube, daß die Kunst seit Cézanne extrem romantisch und unrealistisch geworden ist; sie nährt sich von Kunst, sie ist utopisch. Sie hat immer weniger mit der Welt zu tun, sie blickt nach innen. Das ist weniger eine kritische Bemerkung als eine augenfällige Feststellung. Die Welt ist draußen; dort ist sie. Pop Art sieht in diese Welt hinein; sie scheint ihre Umwelt zu akzeptieren, die weder gut noch schlecht, sondern verschieden ist.« In dieser Erklärung steckt ein Korn Wahrheit, das sich aber sofort wieder verliert, wenn man Lichtensteins Bilder mit ihren Comic-Formen vor Augen hat. Es sind geborgte Formen, die zwar nicht romantisch, aber weitaus unrealistischer sind als Cézannes Hügel oder die kubistischen Mandolinen. Die Realitäten haben sich bereits in den Vorlagen verflüchtigt.

Die Welt aus zweiter Hand oder die Klischeemythologie der Pop Art werden bei Lichtenstein auf eine noch fatalere Weise deutlich. Vor die Wahl gestellt, die Comics als ein zwar geringfügiges, als ein ästhetisches Material aber zu nehmen, bieten sich ein paar Unterscheidungen an. Es hat Zeichner gegeben, die ein Thema ständig verfolgten, in Amerika etwa Gluyas Williams, wenn er die Suburbia-Insassen aufs Korn nahm. Williams hat seine Komik nicht nur aus der Überzeichnung eines sozialen Typs bezogen, sondern ebenso aus einer delikaten, fast jugendstilhaften Strichführung, die in Kontrast zu den thematischen Bösartigkeiten stand. Ein weiteres Genre des Comics oder des Cartoon hängt weniger am festen Thema als an einer signalartigen Charakteristik der Einzelfiguren. Als Beispiel kann Walt Disney stehen, der, bevor er seine Bilder von anderen nachzeichnen ließ, unverwechselbare Physiognomien, Buchstaben nicht unähnlich, in die Stories einbrachte: Mickey Mousens Schlappohren, Donald Ducks Schaufelschnabel, Plutos aufblasbare Schnauze. Aber selbst in ihrer industrialisierten Form ist den Gestalten ein Stil nicht abzusprechen, der Charaktergegenstände in Charakterfiguren verwandelt.

Lichtenstein ist dieser Art von Zeichnung stets aus dem Weg gegangen. Warum, liegt auf der Hand. Ein solcher Comic oder Cartoon zeigt eine Originalität, die der erstrebten Originalität des Malers Abbruch täte. Statt dessen hat sich Lichtenstein an die platteste, naturalistischste Zeichnungsart gehalten. Hätte er sich Williams oder Disney zum Vorbild genommen, wäre er Gefahr gelaufen, auf Kosten anderer originell zu sein. Mit den immer wiederkehrenden Pinselzeichnungen, die Außenkonturen beschreibend festhalten und Binnenformen überakzentuieren, kann Lichtenstein verfahren wie mit einem Rohmaterial: er kann auf anderer Kosten unoriginell sein, in der Hoffnung, daß man ihm dergleichen als Pop-Originalität zugute hält. Dahinter steht abermals eine Berührungsangst, was Stile oder durchgearbeitete Malsysteme

angeht. Lichtensteins Bilder sind reine Nachzeichnungen vorgeformter Platitüden, die lediglich durch ihr Riesenformat und die grellen Farben eine Überrumpelung zustande bringen. Man kann die Probe aufs Exempel machen: sieht man sich im Katalog der Londoner Ausstellung die Schwarz-Weiß-Abbildungen im Kleinformat an, so meint man, saubere Ausrisse aus den Comic-Heften zu sehen.

Um so erstaunlicher wirkt die Beharrlichkeit, mit der Lichtenstein auf Stil, Form und den bildnerischen Elementen besteht. Geht man durch die Ausstellung, so wird man auf eine Anzahl von merkwürdigen Stilbrüchen innerhalb der gleichförmig anmutenden Linien- und Rasterbilder stoßen. Sobald Lichtenstein die Comicvorlagen verläßt, fallen Linien und Raster auseinander. Eine Emaillearbeit wie »Clouds and Sea« aus dem Jahr 1964 ist von unüberbietbarer Banalität, die nicht einmal von der Schwarz-Weiß-Reproduktion im Katalog übertroffen wird. Ein »Modern Painting« genanntes Bild aus dem Jahr 1966 stellt ornamental ein paar abstrakte Formen zusammen, die, wie es wohl beabsichtigt war, der modernen Malerei zum Schaden gereichen. Aber auch hier kommt, durch die Überschärfe und die Starre der Konturen, ein unbeabsichtigtes Assoziationsgefälle ins Spiel: eine gespaltene Dreiecksform sieht wie ein Trichter aus; drei übereinanderliegende Kreise erinnern an eine Verkehrsampel. Zwei sogenannte »moderne« Skulpturen aus Messing und Marmor sind alles andere als modern: ein jeder wird sie für Art-Déco-Stücke halten.

Es ist natürlich nicht ohne Witz, ein Schulheft flach und genau so auf die Leinwand zu malen, daß die Leinwand zum Schulheft wird. Aber schon eine Rolle Bindfaden oder ein Golfball bringen Lichtensteins Dilemma noch einmal an den Tag: die Gegenstände sind nichtig; sichtbar macht sie die Reklamezeichnung. Was ebenfalls nicht des Humors entbehrt, die Nachahmung informeller Pinselschwünge im Comic-Stil, schlägt zu Lichtensteins Nachteil aus: die Rhythmen bringen die starren Lineamente, die flachen Farben und die gerasterten Flächen durcheinander. Ein Bild aus dem Jahr 1965 schließlich, »Seascape« genannt, kommt einer Entlarvung gleich. Lichtenstein verzichtet hier auf seine Linien- und Rasterverfahren; er versucht Übergänge und Hell-Dunkel-Kontraste in herkömmlicher Weise anzufertigen, der Malerei also einen minimalen Tribut zu entrichten. Er scheitert glanzlos.

Aber diese Mängel, wie gesagt, werden ihm als Qualitäten angerechnet. Die Kunstlosigkeit soll als Realitätsnähe gelten, der schon manierierte Umweg über den Comic als

Stilmoment. Lichtenstein selbst hat verlangt, man solle sich nicht am Abklatsch der Comics und der Reklame stören: im Lauf der Zeit wird man, so wörtlich, auf den formalen Inhalt seiner Arbeit, auf den »formal content« kommen. Allein, gerade das Formale läßt bei Lichtenstein zu wünschen übrig; es ist, mehr noch, vor allem als Polemik oder als Kunstverneinung zu verstehen. Indem er aber derart polemisiert, versetzt sich Lichtenstein in die Lage, die er womöglich hat vermeiden wollen: daß man ihn nämlich mit dem vergleicht, was er dank seiner Riesenformate aus dem Blickfeld rücken will. Er wirkt, neben den Malern, denen er dies oder das vorwirft, nicht nur als ein Zu-Spätgekommener, er wirkt, darüber hinaus, in seinen Mitteln und in dem primitiv, was Klee die Schlüsse von der optischen Außenseite auf das gegenständliche Innere genannt hat. Bei Lichtenstein gibt es nur Außenseiten, solche zudem, die ihm die Werbewelt und die Unterhaltungsseiten angeliefert haben. Die dicken Linien und Rasterpunkte erweisen sich als Gag, der nur auf den ersten Blick vital wirkt. Schon dem zweiten oder dem dritten hält dieser Aufwand an Zweitmaterial nicht mehr stand: im besten Fall bleibt von Lichtensteins Bildern der Eindruck übergroßer Dekorationsstücke, vor denen man sich fragt, was man mit ihnen wohl anfangen könnte. Weil man mit ihnen aber nichts anfangen kann, halten die falschen Leute sie für Kunst. Der kunstliebende Kaufmann findet das nobilitiert, was er tagsüber in die Wege leitet. Bei Lichtenstein ist er gut aufgehoben: er, der mitten im Leben steht, nimmt dankbar zur Kenntnis, daß die Warenwelt sich hinter den ihr eigenen Verhältnissen nicht zu verstecken braucht. Lichtenstein macht keinen Hehl daraus, daß er kraft einer überbetonten Aktualität auf jede Vergangenheit verzichtet. Es wird sich rasch herausstellen, daß er auch keine Zukunft hat.

Das Genie ohne Talent

1. Die Abgrenzung der Gegenstände

Das Phänomen ist jüngeren Datums. Sei es der Originalität wegen, sei es, weil der Markt da eine Lücke aufweist; aus Gründen jedenfalls, die eine Profilneurose nicht ausschließen, haben sich ein paar Kunstkritiker, Kunstversteigerer und Museumsdirektoren angeschickt, einen alten, längst abgeschlossenen Prozeß wieder aufzurollen. Es handelt sich um den »Fall Böcklin«, wie Julius Meier-Graefe vor mehr als sechzig Jahren ein Buch forensisch überschrieb, darin er dem Maler der Toteninsel, der nackten Nereiden und ähnlicher Scheußlichkeiten die künstlerische Qualifikation absprach. Das Buch, das derart über Böcklin Gericht hielt, ist heute vergriffen, mehr noch: es ist, was den Standpunkt und die Beweisführung angeht, in Vergessenheit geraten. Meier-Graefe setzte sich, um es in dürren Worten zu sagen, mit Böcklins Unnatur auseinander, die von Natur nur so triefte, mit den »ausgefallenen Libretti«, auf die, weil sonst in ihren Bildern nichts vorgehen würde, die Böcklins angewiesen sind: »Wenn sie eine Schlacht malen, lähmen sie den Betrachter mit Entsetzen, und vor ihren apokalyptischen Reitern kann einem schlecht werden.« Damals, so heißt es an anderer Stelle, feierte Böcklin Triumphe, wie sie nur den ganz großen Unwahrheiten zuteil werden.

Nun ging es Meier-Graefe nicht um den simplen Gegensatz von Natur und Unnatur, von Wahrheit und Unwahrheit. Um deutlich zu machen, daß er bestimmte Modalitäten der Malerei meinte, stellte er einen Marées und einen Delacroix Böcklin entgegen. In späteren, das gleiche

Thema berührenden Texten fällt am Ende auch der Name Cézannes. Mit ihm beruft sich Meier-Graefe auf einen bis zu Ende gedachten Rationalismus in der Malerei, auf eine hochgetriebene Kondensation der Objekte. Wieweit hierbei Polemik im Spiel ist oder Einsicht, bleibt dahingestellt: Polemik allerdings macht Meier-Graefe dort geltend, wo er, überpointiert und die Cézanne-Gegner parodierend, von »Geistlosigkeit« spricht. Heute aber sieht es so aus, als wäre dies, ohne jede Ironie, das Stichwort, das diejenigen, die ausziehen, um Böcklin zu retten, im Sinn haben. Cézanne, so dürfte die Devise lauten, ist ein beschränkter, Böcklin ein poesiebegabter Maler. Neu klingt das nicht; es klingt, wie bei Zirkulationsagten immer, nicht einmal originell. Gegen Cézanne und für Böcklin oder für andere Breitwandmaler haben sich zum Beispiel De Chírico und Dalí mit Sottisen ausgesprochen; ernsthafter liest sich ein Aufsatz, den Gino Severini unter dem Titel *Cézanne und der Cézannismus* 1920 veröffentlicht hat. Severini sprach im Namen einer wiederzuentdeckenden Klassik, derzufolge es ein Unding sei, nach der Natur und mit der Natur jene Gesetzmäßigkeiten ins Bild zu bringen, die allein Maß und Zahl zu formulieren imstande sind. Wenn Cézanne gesagt hat, er wolle Poussin nach der Natur malen, so stellt sich die Frage, wie er dann derart naturbezogen seine Empfindungen und Wahrnehmungsmomente ins rechte Lot setzen kann. Systemlos, wie Cézanne in Severinis Augen vorging, konnte ihm nur selten ein Gleichgewicht der Bildelemente gelingen: bald sah er eine Linie, die er gleich darauf mit einer Farbe zerstörte, bald nahm er einen Farbton auf, der die bereits gezogenen Linien unterbrach. Hätte er sich hingegen an eine berechnete Farbskala, an den Goldenen Schnitt oder an die Fibonacci-Reihe gehalten, wären seine Bilder, und Severini nimmt ebenfalls das Wort in den Mund, ungleich

»geistvoller« ausgefallen. Der klassische Anspruch hätte sich erfüllt.

Einwände dieser Art beruhen auf einem oft gewollten Mißverständnis. Ob in ihnen ein Körnchen Wahrheit steckt? Verglichen etwa mt Seurats Kompositionen, wirken Cézannes Bilder zuweilen unerledigt. Bevor er etwas übers Knie brach, ließ er die Leinwand lieber weiß. Leerstellen sind, das ist wahr, mitunter auch jene Flecken in einer Landschaft, die, um der Luftperspektive willen, das Himmelblau im Baumstamm oder im Buschwerk wiederholen. Und wenn man schon dabei ist, Unvollständigkeiten, echte oder vermeintliche, aufzuzählen: Fritz Novotny spricht von Lebensferne, ja von Menschenferne, die er bis in die Porträts hinein ausfindig macht. Ein nicht immer zuverlässiges Anekdotenmaterial scheint dergleichen zu bestätigen. Cézanne war menschenscheu und von einer sonderbaren Berührungsangst verfolgt; für seine Stilleben hat er künstliche Blumen benutzt und seine Modelle, weil ein Apfel sich ja auch nicht bewegt, in langwierigen Sitzungen zur Bewegungslosigkeit verurteilt. Überhaupt kann man sich aus Anekdoten und Briefstellen einen von Minderwertigkeitsgefühlen geplagten, an seiner Unfähigkeit leidenden Cézanne zusammensetzen: einen Maler mit zwei linken Händen, der in Wutanfällen vor dem Motiv auf seiner Leinwand herumtrampelte oder der, in einem Brief an Emile Bernard, die Sätze schrieb: »Doch nun, da ich alt bin – fast siebzig Jahre –, sind die Farbeindrücke, die das Licht hervorbringen, die Ursache von Abstraktionen, die mir nicht erlauben, meine Leinwände zu bedecken oder die Abgrenzung der Gegenstände ganz zu verfolgen . . ., daraus ergibt sich, daß mein Abbild oder Gemälde unvollständig ist.« Sätze dieser Art wären Böcklin nie eingefallen. Nur sprechen sie, auch wenn sie von ihm selber stammen, nicht gegen Cézanne. Sogar jene

Bilder, auf denen er herumgetrampelt oder die er zerschnitten hätte, stellen etwas anderes zur Schau als das, was Severini in ihnen zu sehen vorgab. Man sollte vorsichtig sein, im Hinblick auf Cézanne von Klassik zu sprechen oder das unglückliche Wort, er wolle Poussin ganz auf Grund der Natur erneuern, für bare Münze zu nehmen. Vielmehr kommt in seinen Bildern eine erneuerte Natur auf eine Weise zustande, die Poussin, genaugenommen, zu Fall bringt. Cézanne sieht eine mit Gegenständen bevölkerte Welt, aus der er, sobald er sie ins Auge faßt, das herausliest, was er für seine Bilder braucht. Dieses Lesen oder Ablesen ist entscheidend, und ihm sind zwei linke Hände förderlicher als eine geschickte rechte Hand. Ein Genie ohne Talent: so hat ihn Max Liebermann genannt.

2. Die ungelernten Zeichen

Geschickt nämlich, in einem eher fragwürdigen Sinn, hat Cézanne seine frühen Bilder gemalt. Er hat, in Porträts, in Stilleben oder in biblischen Szenen, die Farbe dick auf die Leinwand gesetzt und das mit einer Verve, die trotzdem durchblicken läßt, wie wenig wohl ihm offenbar bei diesen Temperamentsausbrüchen war. »Temperament«, mit rollendem, provenzalischem »r« gesprochen, war zu jener Zeit, neben ein, zwei four-letter-words, sein Lieblingsausdruck. Man geht jedenfalls nicht fehl, wenn man annimmt, daß es sich hierbei, ebenso wie bei den rasant heruntergemalten Bildern, um Schutzvorkehrungen gehandelt hat. Denn nach 1880, rund gerechnet, ändert Cézanne allmählich nicht nur die Malweise, er ändert vor allem die Anlässe, ein Motiv auf die Leinwand zu übertragen. Sobald er nunmehr eine Landschaft, ein Stilleben oder einen Kopf zu definieren sucht, verzichtet er auf die

in solchen Sujets steckenden Konventionen, auf die gegebene Verteilung von Licht und Schatten, auf die Linear-
perspektive und, besonders, auf das herkömmliche Verfahren, Flächen durch den glatten Übergang vom Hell
zum Dunkel in Körper zu verwandeln. Sieht man sich,
schon aus Neugier, die offizielle Malerei aus der Zeit
Cézannes an, so stößt man in einem fort auf vorgegebene
oder erlernte Zeichen, die jeweils als bekannt vorausge-
setzte Gegenstände noch einmal gutheißen. Eine Hand,
ein Haus in der Landschaft oder die Gruppierung mytho-
logischer und historischer Szenerien folgen einem System, das aufs Wiedererkennen nicht nur einer scheinba-
ren Wirklichkeit aus ist: wiedererkannt sollen auch die
Darstellungsverfahren werden, die sich auf eine klassische, ihrerseits also bekannte Malerei beziehen. Noch
Degas, zu seiner Zeit kein offizieller Künstler, hat mit erlern-
ten oder vorgegebenen Zeichen gearbeitet: die Tänzerinnen sind zwar auf ungewohnte Weise in eine oft gekippte
Fläche gesetzt; so allerdings, wie sie als Figuren in Erscheinung treten, wirken sie geläufig und vertraut.

Cézanne hat diese Zeichensprache zugunsten einer
neuen aufgegeben, die, verglichen selbst mit dem Impres-
sionismus, voraussetzungslos sein sollte. Es ist nicht nur
ein Baum, der sich vor dem Mont Sainte-Victoire und dem
Viadukt erhebt, es handelt sich um eine zögernd das Bild
durchschneidende Form, die einen Stamm samt Laub ergibt. Das Zögern gehört zum Bild: obwohl man es, rasch
gesehen, mit Unschlüssigkeit verwechseln kann, drückt
es, bei näherem Hinsehen, eine behutsame Bewegung
aus: der Baum soll das Bildfeld zwar durchschneiden,
gleichzeitig aber im Bildfeld bleiben und somit den Schnitt
in der Fläche halten. Mehr noch: dieser Schnitt wird von
anderen, schnittartigen Teilungen begleitet, vom Viadukt, das waagerecht verläuft, von ein paar leicht abge-

schrägten Bäumen, so daß sich auf der Fläche eine gehaltene Balance, ein Durchschuß der Schnitte ergibt. Cézanne hat die Dinge so ins Auge gefaßt, daß sie in ihrer Realität zwar unverkennbar bleiben, gleichermaßen aber hat er wie kein anderer Maler offengelegt, warum und auf welche Weise er dem Ding die Rolle im Bild zuweist, die es spielt. Mit anderen Worten: der Baum, der Mont Sainte-Victoire oder andere Gegenstände sind demonstrativ den Zufälligkeiten entkleidete Formstücke, die sich aus Rhythmus, aus Farbe und aus den Verhältnismäßigkeiten mit den anderen, im Bild erscheinenden Dingen zusammenfügen. Für Cézanne lag allerdings die Schwierigkeit darin, aus dem Motiv das auszusondern, was aufs Viereck der Leinwand gehörte, oder im Motiv diejenigen Elemente zu erkennen, die das flache Viereck verlangte. Umgekehrt jedoch setzt, paradoxerweise, diese Schwierigkeit ein bildnerisches Denken frei, wie Klee es später nannte, dessen Intelligenz, man kann es auch Geist nennen, außer Frage steht.

Vom Schriftsteller Huysmans stammt die gar nicht einmal abfällig gemeinte Bemerkung, Cézanne sei ein Maler mit kranker Netzhaut und überreiztem Wahrnehmungsvermögen gewesen. Neigen sich nicht seine Häuser wie Betrunkene zur Seite? Hängen nicht die Früchte schief in torkelnden Gefäßen? Über Jahrzehnte hinweg ist das Märchen von Cézannes Augenfehler, von seinem Astigmatismus, lebendig geblieben. Auffallend in der Tat wirken die Tische, deren Beine schräg zum Bildrand stehen und deren Kanten auf der einen Bildhälfte höher angesetzt sind als auf der anderen. Krüge und Früchte, auch sie in der Schräge, sind bald von vorn, bald von oben gesehen. Dadurch aber, daß Cézanne als erster bewußt die Vertikale verzerrt hat und nicht auf einem, sondern auf mehreren Blickpunkten bestand, hat er die einzelnen Bildebenen derart in Bewegung gebracht, daß sie das Auge nicht mehr als stereotype Formalitäten wahrnimmt, die eine akademische Kunst zu Prinzipien erhob. Wenn eine Tischkante rechts höher liegt als links, so deshalb, weil eine gleichmäßig das Bild durchziehende Tischkante den Blick zu einer Bewegung veranlaßt, die mechanisch von Punkt zu Punkt läuft und ein Tischtuch oder was sonst den Tisch unterbricht förmlich durchschneidet. Das Aussondern der Flächen und der Felder folgt einer bewußten Störung der konventionellen Zusammenhänge: auch hier bewirkt Cézannes Methode, daß sich ein Krug oder ein Tisch gleichzeitig als Ding und als Malstück ausweist. Dieses gemalte Stück ist ebenso ein gesehenes Stück, genauer noch: man kann die Reihenfolge auch ohne weiteres umkehren. An Emile Bernard schreibt Cézanne ein andermal: »In unserem Sehorgan bildet sich ein optischer Eindruck, mittels dessen wir die durch Farbeindrücke dargestellten Flächen in Licht, Halb- und Viertelton zu ordnen vermögen.« Der Akzent liegt auf dem »optischen Eindruck«, was abermals Anlaß zu Mißverständnissen geben kann, sofern man sich nicht darüber im klaren ist, daß Cézanne so zu sehen pflegte, wie es sein Malverfahren verlangte. Was er sah und folglich malte, war ein System von Analogien.

Um der konventionellen Bildlogik zu entgehen, hat sich Cézanne eine eigene Logik buchstäblich erarbeitet. Die Rundung einer Frucht beispielsweise wiederholt sich in einem Stilleben als Ornament im Hintergrund; der Schräge eines Asts entspricht die Diagonale im Gebüsch. Oft erscheinen solche Analogien spiegelverkehrt, leicht verzeichnet oder als Andeutung hingemalt: die schrägen Linien eines Tischbeins tauchen als ungemalte Achse einer Kaffeekanne auf, die Falten eines Tischtuchs ergeben, in ihrer unglaubwürdigen Starre, die Entsprechung für einen umrissenen Blumenstrauß. Sämtliche Volumina bestehen, ferner, aus Übergängen und Kontrasten, die mit den

dahinterliegenden Dingen korrespondieren: ein Schatten stellt einen Kontrast dar, um eine Frucht vom Tischtuch zu lösen, ein nicht durchgeführter Umriß, den Severini beanstandet hätte, trägt dazu bei, daß diese Frucht in den benachbarten Gegenstand übergeht. Das Rot eines Apfels kehrt in anderen Bildfeldern wieder, das Grün einer Pappelreihe, das so grün nicht ist, setzt sich als Schattenflekken im Vordergrund fort. Es gibt bei Cézanne keinen Körper, der nicht in der Fläche hängt, keine Linie, die nicht ihren Gegenpart findet. Es ist wahr, so beschrieben und auf wenige Grundzüge reduziert, kann der Eindruck entstehen, Cézannes Bilder beständen aus Rösselsprüngen oder aus gemalten Milchmädchenrechnungen. Daß seine Logik jedoch nicht mechanistisch war, beweist bereits die Überdrehung von Huysmans, der die torkelnden Krüge mit einem gereizten Wahrnehmungsvermögen erklärte.

3. Sehen und Arbeiten

Man kann ein ganzes Pitaval mit den Angriffen, den Verleumdungen und den Fehldeutungen zusammenstellen, die Cézannes Bilder nicht nur zu seinen Lebzeiten begleitet haben. Selbst Freunde wie Emile Bernard oder Joachim Gasquet wandten sich nach einer Weile von ihm ab. Berühmt geworden ist das Zerrbild, das Zola in *L'Œuvre* von seinem Jugendfreund verfertigt hat: Claude Lantier, der als Cézanne erscheint, ist von Selbstzweifeln geplagt und kann seine Bilder nicht zu Ende malen. Das trifft, grob gesagt, auch auf den wirklichen Cézanne zu, nur hat dieser aus der Frage, wann ein Bild vollendet ist, eine technische und keine Existenzfrage gemacht. Es dürfte immerhin stimmen, daß die Person Cézanne sogar seinen Freunden auf die Nerven gegangen ist. Von seiner Menschenscheu, von seinen Depressionen und der Geistesabwesenheit in Alltagsdingen berichtet der Anekdotenschatz im Übermaß. Auch ist es überliefert, daß Cézanne, sofern er nicht vor dem Motiv malte, ein braver Bürger war, ein Kirchengänger und ein Patriot. Derart zielbewußt konnte er sein Leben lang nur malen, weil es sein Vater vom Mützenfabrikanten zum Bankier gebracht hatte: mein Vater, so hat er einmal gesagt, war ein Mann von Genie; er hat mir 25 000 Francs Rente hinterlassen. Die Parallele zu Flaubert bietet sich geradezu an: er wie Cézanne stammen aus dem gehobenen Bürgertum, beide leben in der Provinz, beide gehen einer Kunstauffassung nach, die wie eine Bußübung anmutet, und beide stoßen bei ihren Mitbürgern auf ein Mißtrauen, das um so abwegiger wirkt, als Flauberts Prosa oder Cézannes Malerei zu dem Wenigen gehört, das für eine bürgerliche Kultur im 19. Jahrhundert spricht.

Zu Flauberts und Cézannes Zeiten florierte noch die bürgerliche Selbstkritik, wie Lukács es nannte, deren Ursachen allerdings, die Furcht vor dem Industrialismus hier, der Haß auf den lähmenden, von Utilitäten geprägten Alltag dort, ambivalent waren. Cézannes Malerei und das väterliche Bankhaus, sei es als reale Existenzsicherung, sei es als ideeller Gegenstand der Abneigung, mögen zwar in Zusammenhang stehen, das Antizipatorische der Malerei indes erklärt sich nicht mit derartigen Ableitungen. Zwar trifft es zu, daß die Bilder in einer Isolation entstanden sind, von der man sagen kann, daß sie Cézanne nicht so freiwillig, wie es heißt, gewählt hat: als Malerei gesehen stellen sie jedoch das Gegenteil von Isolation dar, eine Verständigung über das Aussehen von Wirklichkeiten nämlich, die beim Aussehen nicht stehenbleibt. Der Malerei wird hier das Recht eingeräumt, die eigene Stofflichkeit und die eigenen spezifischen Zusammenhänge zu artikulieren. Das hat mit Lebensferne ebensowenig zu tun wie mit Abstraktionen. Die Farbe, die rhythmischen Leitungen und Umleitungen, die schwankenden Reliefs der Körper fügen sich nicht nur zu Gegenständen zusammen, sie setzen sich im gleichen Zug auch selber frei, indem sie vorführen, wie sie zustande gekommen sind. Cézanne ist daraufhin ein Maler für Maler genannt worden und so hat ihn Meier-Graefe auch indirekt beschrieben. Damit jedoch kommt der Cézanne zu kurz, der ohne seine Vorlagen, die Bäume, Berge, Äpfel, Köpfe oder Krüge, nicht hätte an den Tag legen können, was er mit Malerei meinte und wie er sie zu überprüfen nicht müde wurde. Denn ohne die Beobachtung der Außenwelt wären Cézannes Bilder tatsächlich nur überhöhte Puzzlespiele gewesen. Der Unterschied wird deutlich, wenn man, blasphemisch, nur an einen Maler wie Poliakoff denkt. Mit Cézannes Worten: »Um Fortschritte zu machen, gibt es nur eins: die Natur; im Kontakt zu ihr wird das Auge erzogen. Es wird konzentrisch infolge des vielen Sehens und Arbeitens.« Sehen und Arbeiten, das »Realisieren«, von dem Cézanne nicht ohne Bitterkeit sprach, ergeben eine Wechselbeziehung von zwei verschiedenen, in keiner Weise aber disparaten Vorgängen. Denn die Natur soll als Reiz der Sinne auf die Leinwand überführt und auf der Leinwand, anhand der Malmethode, kontrolliert werden. Diese Doppeltätigkeit macht Cézannes Aktualität aus. Sein Naturbegriff mag uns, unvermittelt, wie er sich gab, fremd sein, sein Malverfahren versehrt durch seine Epigonen. Das Wahrnehmen hingegen, das sich bis zur optischen Begrifflichkeit steigert und gleichermaßen Vernunft und Sensibilität ausdrückt, der riskante Zusammenhalt von Malfom und realer Form auf der anderen Seite, haben nichts von ihrer Beispielhaftigkeit eingebüßt.

Der Meistermaler

1. Die Freiheit des Blicks

Es könnte so aussehen, als lägen die Schwierigkeiten, über Courbet zu schreiben, darin, daß er wenig Schwierigkeiten bereitet. Seine Malerei ist das, was sie darstellt; sie ist, das Atelierbild, die »reale Allegorie« ausgenommen, frei von zweiten und dritten Bedeutungen. Mag ein Hirsch auch mehr sein als ein laufendes Wild, die Forelle im Züricher Kunsthaus mehr als ein frappierend gemalter Fisch: Courbet hält sich bewußt damit auf, Dinge zur Schau zu stellen und sie bis in die Einzelheiten ihrer Stofflichkeit zu definieren. Er tut das als Maler, anders als seine Kollegen und Zeitgenossen, für die Velazquez unverständlich oder Goya ein Exzentriker war.

Auch Courbets Biographie verläuft geradlinig. Die wütenden Attacken von seiten seiner Gegner, selbst das Gefängnis und das Exil in der Schweiz, änderten zwar seine Lebensumstände, in keiner Weise aber sein Selbstverständnis. Daß er an der Commune teilnahm, ist in seiner Haltung als Citoyen und als Maler vorgezeichnet. Sartre hat in *Der Idiot der Familie* ein Porträt des Schriftstellers Leconte de Lisle entworfen, dem er, als labile, die Lager wechselnde und Ehren von Versailles annehmende Gestalt, für einen kurzen Augenblick den integren Courbet gegenüberstellt. Courbet, so heißt es, war wahrscheinlich das Schreckgespenst Leconte de Lisles, soweit, daß dieser nach der Niederschlagung der Commune Courbets Kopf verlangte. Wie Leconte de Lisle gehörte Courbet der besiegten Generation von 1848 an, »aber er hatte ganz anders auf die Niederlage reagiert: seine Malerei wurde ›reali-

stisch‹ genannt, weil sie das allgemeine Urteil verlangte: sie lehnte zum ersten Mal das Elitepublikum ab und ließ *alle* die drückende Alltagsrealität sehen. Und zwar nicht, um sie in der Idee aufzulösen, sondern um zur Emanzipation des Volkes beizutragen, indem sie dem Blick seine ursprüngliche Freiheit wiedergab. Der Kaiser täuschte sich darin nicht: als er mit der Peitsche auf das Gemälde *Les baigneuses* einschlug, wollte er die zwar vernichtete, aber nicht tote Republik schlagen.«[1]

Für Sartre, der sonst zu derart ungebrochenen Figuren kein Verhältnis hatte, ist dieses Urteil erstaunlich. Es deckt sich aber mit einer Courbetlegende, die insofern keine Legende ist, als sie sich mit der Realität verschränkt. Courbets Integrität ist merkwürdigerweise, selbst in den kritischsten Peripetien seines Lebens, unangefochten geblieben, so, als hätte er von Anfang an und von sich aus die Versuchungen abgestoßen. Kein Thiers zählte, wie im Fall von Delacroix, zu seinen Mäzenen. Die Ehrenlegion abzulehnen bedurfte, von seiner Seite, nicht einmal der Anstrengung. Dabei sind solche Episoden eine Nebensache.

Was ihn zur exemplarischen Figur macht, ist das Plebejische seiner Bilder, das Hand in Hand mit einer für seine Zeit ungewöhnlichen Malkultur ging. Diese Malkultur hat man zumal dort übersehen, wo man an den schmucklosen Themen Anstoß nahm. Von einem »Plebeyismo«, der zu Velazquez' Zeiten den spanischen Hof sei es beschäftigte, sei es amüsierte und Velazquez Volksszenen malen ließ, war im Zweiten Kaiserreich nichts zu spüren. Der Plebejer war nicht nur die preiswerte Arbeitskraft, er war auch eine Bedrohung. Courbets Bilder galten als schmutzig, seine Malweise als Kraftmeierei und er selber als trinkfester Habitué der Brasserie Andler, darin sich die Realisten und ihre Freunde zwischen hängenden Schinke und aufgereihten Würsten zu treffen pflegten. Mit diese Überlieferung aber vom trinkfesten, schmatzenden und randalierenden Courbet hat es seine Bewandtnis.

2. Ein Zechbruder

Zweiundfünfzig Jahre nach Courbets Tod schrieb der französische Kunstkritiker Claude Roger-Marx: »Das, was er für Intelligenz hielt, hat ihn stets in die Irre geführt. Sobald er sich einbildete, ein Mann von Geist zu sein, war er ein Dummkopf; sobald er sich einbildete, Geschmack zu haben, wurde er schal. Seine Theorien wurden ihm von Freunden eingeblasen, den Philosophen, den Dichtern. Glücklicherweise bewegten sie sich außerhalb seiner Kunst. Aber die Intelligenz, die Finesse, der Geschmack, die Unruhe ersetzen nicht jene elementare Kraft, die Courbet sein eigen nannte. Bewundern wir diesen Kämpfer, der mühelos Muskeln und Brustkorb schwellen ließ. Neben ihm erscheinen selbst die, die wir am meisten verehren – ein Delacroix, ein Renoir –, ein wenig jämmerlich, fast weibisch. Für den Augenblick wollen wir von unserer Vorliebe Abstand nehmen. Stoßen wir mit Courbet an, essen wir von seinem Fleisch, atmen wir seinen Tabaksqualm.«[2]

Die Sätze sollen wohlwollend klingen. Allein, sie verhehlen nicht die Aversion, die sich darin ausdrückt, daß Roger-Marx einen beschränkten Mann und eine bête-à-peindre beschreibt, in deren Umgebung es nicht gut roch. Das Bild vom Muskelmann und Pfeifenraucher soll Zweifel an Courbets Denkkraft nähren. Mehr noch: zwischen dem Maler und seinen Ideen tut sich, in den Augen des Kritikers, ein Abgrund auf, den man allenfalls mit Ironie, auf Kosten der Courbetschen Bildvorstellungen, überspringen kann. Und womöglich, so zumindest liest es sich zwischen den Zeilen, auf Kosten des Malers Courbet, der hier wie ein besserer Vlaminck in Erscheinung tritt. Er hat seine Bilder heruntergeschmiert, ist gern auf die Jagd gegangen, hatte einen Hang zum Sozialen und wäre, hätte er ein paar Jahrzehnte später gelebt, wie Vlaminck womöglich auch Radchampion geworden.

Diese Optik kommt nicht von ungefähr. Roger-Marx tut nichts anderes, als Meinungen, diesmal ins vermeintlich Positive gekehrt, zu wiederholen, die nach Courbets Tod das verlängerten, was zu seinen Lebzeiten gang und gäbe war. Aragon, der Roger-Marx zitiert, stellt eine ganze Anthologie der Niedertracht zusammen, die Schmähungen vom reaktionären Barbey d'Aurevilly bis zu jenem Joséphin Peladan enthält, der sich von seinen Adepten Hoheit titulieren ließ. Da ist von einem Wechselbalg die Rede, der mit Hilfe von Qualm, Wein, Bier, ätzendem Fusel und aufgeplatzten Geschwüren gezeugt wird (Dumas Sohn). Häßliche Bürgersfrauen werden gebrandmarkt, die in einer Pfütze ein Bad nehmen, das ihrem Körper notwendig scheint (Prosper Merimée). Überhaupt ist der

Schmutz ein Vorwurf, der vor Courbets Bildern immer wieder laut wird. Selbst Delacroix spricht von der Gewöhnlichkeit der Form und der Gewöhnlichkeit der Gedanken. Die Bilder allein können solche Vorwürfe jedoch nicht ausgelöst haben. Es geht, so scheint es, namentlich um Courbets Betragen, das sich in Aussprüchen zur Schau trug wie »Ich will die Kunst in die Gosse zerren« oder in einer Bildunterschrift wie: »Courbet, ohne Ideal und ohne Religion«.

Einen weitausholenden Sprung im Sinn, könnte man sagen, daß eine derartige Inschrift von einem Dadaisten stammen könnte. Hier wie dort aber handelt es sich nicht um eine Gratisprovokation, was Courbet als Zielscheibe einer täglichen Verbaljustiz in ein besonderes Licht rückt. »Ich bin der größte Maler«, so hat er gesagt, »weil ich es bin, den man am meisten attackiert.«[3] Die Skandale, die Angriffe und die Diffamierungen stellten eine Öffentlichkeit her, an der diesem Meistermaler, wie er sich nicht ohne Soupçon hieß, gelegen war. Sartre deutet es mit dem Übergang vom Elitepublikum zur Öffentlichkeit an. Die Bilder mochten die Vorurteile, die sie begleiteten, von selbst entkräften: dazu aber mußten sie überhaupt erst gesehen werden und ins Gespräch, wenn nicht gar ins Gerede kommen. Courbets Wirken fällt mit dem Aufschwung der kommerziellen Presse im Zweiten Kaiserreich zusammen, die mit Annoncen, mit bezahlten Einschüben, vor allem aber mit dem Feuilleton ein breites Publikum in Atem hielt. Aus dieser Presse zumal stammt die gefärbte Vorstellung vom ordinären Courbet, der er wiederum, indem er ihr Nahrung lieferte, Tribut zollte. Denn aus der Luft gegriffen sind die Geschichten über seine Vulgarität und seine Trinkfestigkeit in keiner Weise. Briefe aus Deutschland, darunter eine hanebüchene Beschreibung von seinem Besuch im Münchner Hofbräu-

haus, geben akribisch die konsumierten Bier- und Wein-
mengen wieder. Mitunter hat man den Eindruck, nicht
den Meistermaler Courbet, sondern eine der Figuren zu
sehen, die Jan Steens Bilder bevölkern. Falsch ist das nicht,
nur fehlt hier ein vermittelndes Glied. Manchmal muß
Courbet ja auch gemalt haben: warum hielt man sich bei
seinen Zechgewohnheiten auf? Die faux frais haben Kreise
gezogen. Als Daumier den Kampf zwischen Realismus
und Idealismus karikierte, zeigte er den ersteren in Bau-
ernpantinen, gedrungen und roh.

Man muß zwei Dinge auseinanderhalten, die hinterrücks
zusammengehören. Courbet, der schwitzende, trinkende,
ordinäre und jeden Kunstgriff verhöhnende Maler, ist
eine Figur mit Öffentlichkeitswert. Heute würde man von
einem News-Wert sprechen. Weil dieser Wert aber ein
Wert coram publico war, füllte Courbet ihn aus. Er hat
das, was man später Reklame nannte, virtuos beherrscht.
»Réclame« hießen im Zeitungsfranzösisch des Zweiten
Kaiserreichs jene bezahlten Einschübe, die sich als Nach-
richten tarnten. Indem Courbet als ein, wenn auch negati-
ver, News-Wert galt, brauchte er keine Gebühren zu entrichten. Besser man wurde verleumdet als verschwiegen.
Aragon, der doch damit seine Erfahrungen haben dürfte,
hat die Pressekampagnen in einem Maß ernst genommen,
daß er Courbet mitunter als Märtyrer hinstellte. Aber von
Baudelaire, teils Courbets Weggefährte, teils Courbets
Antipode, sagte Benjamin, daß in seinem Fall die Moderne
zur Rolle wurde, die eines ausschloß: den Heiland, den
Märtyrer, den Heros. Statt dessen hat Baudelaire etwas
von einem Schauspieler an sich, der die Rolle vor einem
Parkett und einer Gesellschaft spielt, die den echten Dichter schon nicht mehr braucht und ihm seinen Spielraum
nur noch als Mimen gibt.[4] Nimmt man Courbet als foren-
sische Figur, so sieht das weniger verwickelt aus. Schon

die Selbstbetitelung »Meistermaler« macht deutlich, daß er sich, auch wenn die Gesellschaft keinen echten Maler mehr braucht, ihr als ein solcher aufdrängt. Er spielt die bête-à-peindre vor der Öffentlichkeit, weil er damit die Diskussion um seine Bilder entfacht, die überdies ganz andere Sachen zeigen als die Übungen einer Malerfaust. Sujets, Öffentlichkeit und Malweise sind somit eng verbunden: auf eine allerdings, der Zeit entsprechenden, falsche Weise.

3. Versailles und die Rache

Nicht zuletzt liegt Courbets Modernität darin, daß er sich auf dieses vermeintliche Groschendasein eingelassen hat. Vulgarität ist noch immer die beste Methode, einer Kunstwelt die Fassung zu rauben. Gleichzeitig aber zeigt Courbet damit Marktbewußtsein. Er begibt sich ungeschützt in einen Verkehr der Kunstobjekte, der seine Kategorien aus verbalen Tauschmetaphern, aus Klatsch, aus namenlosen Begriffen, aus den Wiederholungen der Pressenachrichten und aus den Sensationen ungewollter Sujets bezieht. Der Markt allerdings bietet ihm, anders als die Akademie oder der Salon, der ihn einengt oder gar refüsiert, eine Zone, darin es zwar anarchisch zugeht, Zufälle und Gerüchte an der Tagesordnung sind, die Kunstexperten aber und den Versailler Hof, der ihm mißtraut, außer Kraft setzt. Die Angriffe sind ein Symptom für Courbets Doppelstrategie. Auf dem Markt muß er sich bewähren, er darf aber seine Malerei um keinen Deut einer Nachfrage angleichen. An Bryas schreibt er: »Ja, mein Lieber, ich hoffe, daß sich in meinem Leben ein einzigartiges Wunder realisiert, ich hoffe, mein ganzes Leben hindurch von meiner Kunst leben zu können, ohne mich je von einem meiner Prinzipien zu entfernen, ohne jemals in irgendeinem Augenblick mein Gewissen verleugnet zu haben. Ich hoffe sogar, mein Leben zu beenden, ohne eine Handbreit Malerei zum bloßen Gefallen jener gemacht zu haben, denen es nur verkauft werden soll.«[5] Noch deutlicher sagt er bei einer anderen Gelegenheit, er male demokratisch, er male realistisch und lehne auch das Wort sozialistisch nicht ab. Hier gerät der provozierte Skandal in eine politische Dimension: Courbet richtet sich an ein Publikum, das nicht das kaufende Publikum ist. Es hat, weil es über Gebühr mit der täglichen Notdurft beschäftigt ist, im Pressedschungel noch keine Stimme: die Blanquisten, die Bauern, die Arbeiter in den öffentlichen Werkstätten und jenes Proletariat, von dem Marx im *18. Brumaire* sagte, daß es eine Verbindung mit den über ihm liegenden Gesellschaftsschichten eingeht, sobald diese in revolutionäre Gärung geraten, und somit alle Niederlagen teilt, die die verschiedenen Parteien nacheinander erleiden.[6]

Natürlich hat man diese Strategie durchschaut. Solange Courbet in der Zeitung stand, karikiert und angegriffen wurde, konnte die engere Kunstwelt, die der Salons, wenig dagegen tun. Gern wäre man über ihn hinweggegangen oder hätte ihn aus dem Blickfeld gerückt. Nur sorgte dieser Schaumann ständig dafür, daß er, negativ, positiv, eine Rolle spielte, die der Öffentlichkeit nicht vorenthalten werden konnte. Um Courbet kam man nicht herum, auch wenn man sich über die ungewaschenen Beine seiner Figuren empörte. Courbet nahm das auf sich: Nymphen, so sagte er, habe er nie gesehen, und was den Schmutz betraf, konnte er auf die Tonalitäten eines Velazquez und eines Goya verweisen. Wer ihm zur Seite stand, ging anders vor. Max Buchon spricht von Deutlichkeit und Aufrichtigkeit. Champfleury, ebenfalls sein Verteidiger, Baudelaire an Scharfsinn ohne Zweifel unterlegen, dreht aber in einer Eingebung den Spieß um. Es stimmt schon, Adonisse sind auf den Bildern nicht zu sehen. Winckelmann würde, aufgrund der Niedrigkeit solcher Figuren, keine gelehrten Worte über Courbet verlieren. Eine neue Kunst tauche auf, eine ernste, überzeugte, ironische und brutale, aufrichtige Kunst voller Poesie. Man sagt, sie hielte sich an das Häßliche. Aber: »Courbet mag beherzt drei Frauenköpfe, die Kinder, den Totengräber und noch manch andere Gestalt als Typen des modernen Schönen anführen, die Sakristane werden den Ausschlag geben und das Begräbnis in Ornans zum Meisterwerk des *Häßlichen* küren. Ist es die Schuld des Malers, wenn die materiellen Interessen, das Kleinstadtleben, schäbige Selbstsucht und provinzielle Engherzigkeit dem Gesicht ihren Stempel aufdrücken, den Augen ihren Glanz nehmen, der Stirn Falten eingraben, dem Mund harte Züge geben? So sehen viele Bürger aus; Courbet hat Bürger gemalt.«[7]

So aber wollten sie nicht gemalt werden. An dieser Unbestechlichkeit hält sich die Geschichte auf. Courbet wurde im April 1871 in die Commune gewählt. Zwar hatte er die Niederlegung der Vendôme-Säule gefordert, er sprach aber von einem »déboulonnement«, was wörtlich zu übersetzen wäre: einen Bolzen aus einer Maschine zu entfernen. Er verlangte lediglich eine Verlegung der Säule. Am 2. Mai trat er als Volksvertreter zurück; am 16. Mai wurde die Säule abgerissen. In der Commune hatte er eher eine konservierende Aufgabe inne. Das änderte nichts daran, daß man ihm, der öffentlichen Figur, dem Mann, der Kunst und Demokratie, ja: Kunst und Sozialismus in Einklang bringen wollte, der Niederreißung bezichtigte. Courbet kam ins Gefängnis; er wurde verurteilt, die Kosten der Wiederaufrichtung zu tragen, und floh schließlich in die Schweiz. Ein anderes Mitglied der Commune,

Pascal Grousset, hat später aus dem englischen Exil die Verantwortung für die Aktion übernommen. Aber noch in *Nadja* schreibt André Breton, das wunderbare Licht in Courbets Bildern sei für ihn das Licht der Place Vendôme, zur Stunde, da die Säule fiel.

4. *Die Salonkunst*

Von heute her gesehen, muten Wörter wie Buchons Aufrichtigkeit oder Champfleurys »aufrichtige Kunst voller Poesie« etwas unbedarft an. Ihnen wird ein anderes Gewicht zuteil, wenn man sich an die sozialen und an die Kunstzusammenhänge hält, die Courbet zum zwar vorlauten, zum Außenseiter aber stempelten. Er selber hat sich am 21. Dezember 1861 in einem berühmt gewordenen Brief an seine Schüler genauer geäußert. »Ich halte auch dafür«, so schreibt er, »daß die Malerei ihrem Wesen nach eine konkrete Kunst ist und nur aus der Darstellung der wirklichen und vorhandenen Sachen bestehen kann. Sie ist eine vollkommen physische Sprache, die anstelle von Worten aus allen sichtbaren Dingen besteht; ein abstraktes Ding, das man nicht sieht, das nicht vorhanden ist, gehört nicht in den Bereich der Malerei. – Die Einbildungskraft in der Kunst besteht in dem Vermögen, den vollkommenen Ausdruck einer vorhandenen Sache zu finden, aber niemals darin, diese Sache selbst zu erfinden oder zu erschaffen. – Das Schöne ist in der Natur; und man trifft es in der Wirklichkeit in den unterschiedlichsten Formen an. Sobald man es aufgefunden hat, gehört es der Kunst an, oder vielmehr dem Künstler, der es zu ersehen weiß. Sobald das Schöne wirklich und sichtbar ist, nimmt es einen eigenen künstlerischen Ausdruck an. Aber die künstlerische Technik darf diesen Ausdruck nicht erweitern.

Rührt sie daran, läuft sie Gefahr, ihn zu entstellen und alsbald zu schwächen.«[8]

Daß der vermeintliche Maler des Schmutzes vom Schönen spricht, zählt nur in zweiter Linie. Entscheidender ist der Hinweis auf die vorhandene Sache und die Feststellung, daß deren Ausdruck nicht über das Vorhandensein hinweggreifen darf. Courbet muß dabei eine Malerei im Auge gehabt haben, die sich in einer falschen Einbildungskraft verwirrte. Es handelt sich um die offizielle Kunst im Frankreich des 19. Jahrhunderts, die sich, wiederum, auf eine ganze Tradition der Unzulänglichkeiten berufen konnte. Man nennt sie, weil sie jährlich in öffentlichen Salons gezeigt wurde, pauschal Salonmalerei. Sie in Chronologien zu zerlegen, ihr gar, wie in jüngster Zeit, einen »bürgerlichen Realismus« ohne jeden kritischen Einspruch zu unterstellen, zielt an der Stereotypie vorbei, die über beträchtliche Zeitspannen hinweg sich räkelnde Frauen, behelmte, in Laken gehüllte Männer und zerlumpte, stets den Tränen nahe Kinder neben historischen und Schlachtenszenen hervorbrachte, allesamt in Farben, die Théophile Gautier mit Tinte und Schuhcreme oder Heine mit Schnupftabak und grüner Seife verglich. Die Spottmetaphern rühren nicht von besonderer Bosheit her. Denn diese Malerei gab sich in einem Maß verstellt, daß es kein Zufall ist, wenn heute die Bilder aus dem Blickfeld gerückt und allein die Gegenstimmen in Erinnerung geblieben sind.

So ist Baudelaire über den Historien-, Genre- und Reisemaler Léon Gérome (1824–1904) mit dem Satz hergezogen, er erhitze in aller Kälte seine Sujets mit kleinen Zutaten und infantilen Tricks; über Alexandre Cabanel (1823–1889), einem Maler frommer Szenen erst und eleganter Damenporträts später, meinte Zola, seine Empfindungen, seine Beobachtungen und seine Machart seien gleichermaßen falsch; die Präzision des Malerfürsten und Kommandanten der Ehrenlegion Adolphe William Bouguerau (1825–1905), dem Zola ein Übermaß an Malpomade anlastete, fand Gauguin stupide; Baudelaire bezeichnete die Malerei von Paul Delaroche (1797–1856), dem Haupt der historischen Schule, als schmutzig und gallig, womit er ein Urteil von Delacroix wiedergab; Heine schließlich machte sich, nachdem er im Salon von 1843 dessen biblische Szene mit Juda und Thamar gelobt hatte, über den Schnellmaler Horace Vernet (1789–1863), laut Baudelaire die Antithese des Künstlers überhaupt, lustig, indem er von den Soldaten sprach, die Vernet nur so auf die Leinwand warf: wenn die fromme Sage wahr sei, daß am Tag der Auferstehung jeden Menschen seine Werke begleiten, werde Vernet, von einigen hunderttausend Mann Fußvolk und Kavallerie begleitet, im Tal Josaphat anlangen. Zwar sei, so Heine, Vernet ein Genie, sollte er jedoch keins sein, so mache das auch nicht viel aus, denn dem, der an der Spitze von einigen hunderttausend Soldaten anmarschiert käme, werde sowieso verziehen.

Als Heine 1831, im Jahr, da Courbet von seinem Zeichenlehrer in Ornans angehalten wurde, erstmals vor der Natur zu malen, über den Salon berichtete, gaben dort nicht Ingres oder Delacroix, trotz der Premiere seiner »Freiheit auf den Barrikaden« den Ton an, sondern Maler wie Ary Scheffer, ein Protegé des Hauses Rothschild, Delaroche oder eben Vernet, dessen Prachtgemälde die staatlichen Ämter und die Spitzen der Gesellschaft ebenso zu würdigen wußten wie die Schlangen der Besucher, die, Jahr für Jahr, in den offiziellen Salons die Sensationen erleben wollten, die heute das Kino, die Seifenoper und die illustrierten Blätter bereithalten. Überhaupt machen die Berichte von Zeitgenossen deutlich, daß der Publikumserfolg der Salonkunst während der Julimonarchie, im Zweiten

Kaiserreich und weitgehend bis in die Dritte Republik hinein in keiner Weise auf ihre Ehrbarkeit, sondern, im Gegenteil, auf den Nervenkitzel zurückzuführen war, den sie mit Grusel- und Rührstücken und, vor allem, mit Nuditäten bot, deren unfreiwillige oder beabsichtigte Obszönität noch heute jedem Pornoblatt zur Ehre gereichen würde.

Es ging hoch her auf diesen Gemälden: die Frauen, die Männer und die Kinder setzten, oft im Verein mit Engeln oder Getier, alles daran, um dem Beschauer die Botschaft förmlich einzuhämmern. Die Maler kopierten nicht allein haargenau ihre Modelle, sie wiesen ihnen auch die Aufgabe zu, theaterhaft vorzuführen, was der Bildtitel verhieß. Die Vorlage war hier ebenso eine Illustration wie die Malweise selbst, die keinen Gewaltstreich ausließ; der Kitsch war ein Kitsch im Quadrat. Dieser Kunst stand nichts anderes im Weg, als die Prachtgemälde selbst.

5. Christus als Bankerotteur

Es sind, genaugenommen, zwei Eigenheiten, die der Salonmalerei, so verschieden ihre Thematik, ihre lokale Herkunft und ihre chronologische Bestimmung auch sein mögen, Abbruch tun. Die erste, eine rein technische, kann man den Weißen-Schimmel-Effekt der Malerei nennen, die doppelte oder dreifache Bezeichnung also ein und derselben Sache. Ein Gemälde von Bouguereau, »Die Oreaden«, liefert dafür ein Schulbeispiel. Der Malerfürst hat die einzelnen Figuren samt und sonders in einer Weise durchmodelliert, die jeweils die an sich schon zur Bezeichnung der Körper ausreichenden Halbtöne in eine lackierte Volumetrik treibt. Obendrein hat Bouguereau in die Volumina ornamentale Bezeichnungen, fürs Haar etwa oder für ähnliche Einzelheiten, gesetzt, eine überflüssige Zugabe, wie überhaupt der ganze Körperknäuel ornamental wirkt. Zur Überlagerung von Volumen und Ornament kommt als Drittes die Farbe, die Volumen, Ornament und Tonalität beständig infiziert. Der Pleonasmus macht ein solches Gemälde nicht handgreiflicher, er setzt es vielmehr einem Chaos der Darstellungssysteme aus, das Bouguereau mit rubensartigen Anspielungen und mit spektakulären Signalen wie Zeigearme, Zeigefinger und Zeigezehen zu bewältigen sucht.

Das führt zur zweiten Charakteristik. Die Salonmalerei hat mit Pathosformeln oder beseelten Pantomimen ihre Themen derart auf eine direkte Aussage hin behandelt, daß keiner der Maler imstande war, ein Augenmerk auf die Nebenbedeutungen zu richten, die sich in einer solch illustrativen Ausdrucksform von selbst ergeben. Denn das Paradoxe gerade dieser Kunst besteht darin, daß sich trotz der Buchstäblichkeit, mit der die handelnden Personen und die Handlung im Bild erscheinen, eine Unzahl von Konnotationen einstellen, die nicht unbedingt zum eigentlichen Thema beitragen, wenn sie es nicht gar dementieren. Mitunter schlagen die Dementis durch die Themenstellung und rücken eine ganz andere Bedeutung in den Vordergrund. Der ambivalente Eindruck, den sämtliche Salonbilder vermitteln, rührt nicht unbedingt von den überzogenen Gebärden und dem Pomp der Kostümierungen her, er ist vielmehr die Folge des ständigen Widerspruchs zwischen erster Bedeutung und Konnotation.

Das Bürgerliche der Salonmalerei kommt hier zum Vorschein. Denn bürgerlich ist die Salonkunst nicht nur durch das gewesen, was sie so sorgfältig darstellte, sondern durch das, was ihr dabei unterlief. Heine fragte sich in seinem Salonbericht von 1843, ob sich der Geist der Bourgeoisie nun auch in den bildenden Künsten niederschlage, eine Frage, zu der ihm zumal die Heiligenbilder Anlaß boten. Eines davon beschreibt er folgendermaßen: »Da hängt im langen Saal eine Geißelung, deren Hauptfigur mit ihrer leidenden Miene dem Direktor einer verunglückten Aktiengesellschaft ähnlich sieht, der vor seinen Aktionären steht und Rechnung ablegen soll; ja letztere sind auch auf dem Bild zu sehen, und zwar in der Gestalt von Henkern und Pharisäern, die gegen den Ecce Homo schrecklich erbost sind und an ihren Aktien sehr viel Geld verloren zu haben scheinen. Der Maler soll in der Hauptfigur seinen Oheim porträtiert haben.«[9]

Gleichgültig, ob Heine sich die Ähnlichkeit mit dem Oheim, einem Herrn August Leo, wie es in älteren Ausgaben hieß, einem damals stadtbekannten Bankerotteur, ausgedacht hat oder ob sie tatsächlich vorhanden war: dadurch, daß er die dem Bild innewohnende Zweideutigkeit ins Lächerliche zieht, will er auf das Zweckdenken verweisen, dem sich die Salonmalerei wie keine andere gefügt hat. In einer weiteren Bemerkung wird er noch deutlicher: die meisten Porträts hätten einen pekuniären, eigennützlichen, verdrossenen Ausdruck, den er sich damit erklärte, daß das lebende Original in den Stunden der Sitzung immer an das Geld dachte, das ihn das Porträt kosten werde, während der Maler beständig die Zeit bedauerte, die er mit dem Lohndienst vergeuden mußte. Natürlich ist das eine satirische Kehre: Heine hob hervor, was die Maler um jeden Preis verbergen wollten. Nur erwies sich die Tarnung als unzulänglich, weil jemand, der sich unvoreingenommen mit der Salonkunst befaßte, rasch darauf kam, daß ihre wirklichen Urheber keineswegs die Maler, sondern deren Auftraggeber waren. Die Salonmalerei lieferte das Illustrations- und Verpackungsmaterial für eine Utilität, die nichts anderes meinte als die Beutezüge unter Louis

Philippe oder Louis Napoleon. Über den Staatsmann Thiers heißt es in *Der Bürgerkrieg in Frankreich*, er sei in sein erstes Ministerium unter dem Bürgerkönig arm wie Hiob eingetreten und habe es als Millionär verlassen.

6. Stofflichkeiten

Dieser Hintergrund erklärt nicht nur den Skandal, den Courbets Sujets hervorriefen: er macht auch den Rang des Malers Courbet deutlich. »Als erster«, so schreibt Aragon, »hat er in der Malerei die Vorherrschaft der Materie verkündet, das vom Künstler unabhängige Bestehen des Objekts, die unbedingte Notwendigkeit, nach der Natur zu malen, allein das, was das Auge gesehen hat, nur, was es zu sehen vermag.«[10] Das Diktum läßt sich verlängern. Courbet hat die Welt der Dinge in einer Stoffbezogenheit gesehen, für deren Wiedergabe er sein Malmaterial, die Ölfarbe, etlichen Verwandlungen unterzog. Ob er das instinktiv getan hat oder bewußt, spielt insofern keine Rolle, als die bildnerische Intelligenz, mit der die Dinge auf der Leinwand erscheinen, von den Dingen nicht zu trennen ist. »Zuviel Spanien« soll er einmal über Manets Malerei gesagt haben. Ins Positive gekehrt, trifft das allerdings auch auf ihn zu. Velazquez nämlich und Goya haben, ausgehend von einer tonalen Malerei, jene stofflichen Individualitäten, von denen Alois Riegl sprach, auf der Leinwand bis in die extremsten Charakterisierungen getrieben, ohne davon abzugehen, daß solche Charakterisierungen mit Valeurs, Farbe, Farbstoff und Pinselführung hervorgebracht worden sind. Das Malmaterial setzt sich in eigener Sache frei. Courbet, der die Spanier, wie übrigens auch die Niederländer, mit zwanzig, zweiundzwanzig Jahren im Louvre kopierte und studierte, ist sich fraglos dieser Doppelsinnigkeit des Malmaterials: als Bezeichnungsmittel und als Stoff, ja als ästhetische Kategorie, gewahr gewesen.

So malt er einen Blumenstrauß mit Magnolien, eine weiße, hartblättrige Blüte, deren Materie das Bild bis in den Pinselstrich bestimmt: der ist glatt und ausladend, gibt aber trotzdem wieder, wie sich ein Blütenblatt von einem zwar grünen, auf andere Weise aber harten Blatt des Stengels abhebt. Andere Blumen, Tulpen zum Beispiel, Anemonen, Pfingstrosen, Lilien und Fuchsien, sind in die gleiche Schale aus Ton gepflanzt, nicht allein um ihrer botanischen Besonderheit willen, sondern um den Magnolien flockigere, offenere und, vor allem, leichtere Formen gegenüberzustellen. Das Ganze ist in einem Braunton gehalten, der weniger aus dem Museum als aus der Absicht stammt, Raum und Körper in der Schwebe zu halten. Weil aber Blumen dargestellt sind, kann es nicht ausbleiben, daß die Farben Rot, Weiß, Blau und Grün in ein Wechselspiel geraten, das der tonige Hintergrund und der braunschwarze Tisch eingrenzen. Ebenso besteht die »Schlafende Spinnerin« aus Tonalitäten, die nur vom harten Blau des Umhangs und den roten Bändern der Spindel unterbrochen werden. Auch hier ist genau definiert, was ein Textil, was Holz ist, was Haut ist und was Haar. Es handelt sich in erster Linie um eine Pinselarbeit: die Haut der Schläferin ist sorgfältig modelliert; sie ist weich gemalt und bis in die kleinste Falte von dieser Weichheit bestimmt. Der Umhang, offensichtlich aus Leinen, ist mit seinen blau-weißen Streifen hart abgesetzt und das Spindelgarn gar mit dem trockenen Pinsel kenntlich gemacht. In Porträts wechseln die Bezeichnungen je nachdem, ob es um Haut, Haar, Kleid oder Accessoire geht, und sieht man sich die Aktbilder genauer an, so findet man auf der Haut ein präzis geführtes Spiel der Farben und der Farb-

nuancen: ein Erdton neben einer Fleischfarbe, um ein Volumen herzustellen, ein leichtes Hellblau anderswo, um sowohl etwas Schatten wie die Maserung der Adern festzuhalten.[11]

In welchem Maß die Ölfarbe der realen Stofflichkeiten und der eigenen Qualität als Kunstmaterial gerecht wird, zeigt ein Damenbildnis, vermutlich um 1855 gemalt. Der Pelzbesatz am Kleid ist von anderer Qualität als die Seidenbespannung des Sessels: Courbet malt das eine roh, mit trockener Farbe, das andere weich, die Ornamente naß in naß. Das Ungewöhnliche daran ist nicht so sehr das Verfahren als die Einheit, die Courbet mit den verschiedenen Techniken erreicht. Sie stellt sich deshalb ein, weil Pelz und Seide trotz der Genauigkeit ihrer Wiedergabe eben nicht Pelz und Seide, sondern Übertragungen in Ölfarbe sind, die Courbet mit der ihm eigenen Sinnlichkeit behandelt: obwohl sie Pelz und Seide wiedergibt, hat diese Farbe, ihre Tönung, ihre Setzung ein Gewicht als valeur plastique, wie die Kubisten es nannten, das hier vom Sujet zwar nicht abhebbar ist, dem Sujet aber eine ästhetische Dimension hinzufügt. Ähnlich ist Goya im Porträt der Frau eines Buchhändlers verfahren: Haut, Haar, Seide und Umhang sind verschieden aufgetragen; die vom Umhang bedeckte Haut jedoch bildet, in ihrer Lebendigkeit, eine erogene Zone.

7. Plato und die Spachtel

Das aber ist nicht alles. Courbets Malweise reicht dort, wo man Aragons Hinweis auf die Materialität der Dingwelt auch auf die Dinge der Malerei münzt, weit über das damals Zeitgenössische, auch in seinen fortgeschrittensten Formen, hinaus. Nicht von ungefähr haben Braque und Picasso Courbets Bilder variiert, und ein Maler wie Balthus ist, nicht immer glücklich, von Courbet ausgegangen. Das Entscheidende besteht in einer Teilung, die erst Jahrzehnte später die damals moderne Kunst vollzog. Schon die Impressionisten hatten den Pinselstrich und den Komplementärkontrast über das eigentliche Motiv gehoben. Die Kubisten setzten Flächenverschiebungen und die Erd- oder Grautöne vor die Mandolinen oder Flaschen, die als Bezugspunkte dienten; sie klebten am Ende sogar

Fremdmaterialien, Zeitungspapier oder Tapetenreste, ins Bild. Gleichermaßen imitierten sie, als gemaltes Fremdmaterial, Marmor oder Holzmaserungen. In diesen Fällen, zu denen man noch Matisse mit seinen Farbüberschreitungen in der Fläche zählen kann, kommt die Absicht an den Tag, die spezifischen Eigenschaften einer bislang als roh oder als reines Mittel bezeichneten Materie im Bild derart zur Geltung zu bringen, daß ihre Eigenart zur Eigenständigkeit wird. Das steht, als polemischer Nachhall, noch immer im Gegensatz zu den beschränkten Materialbezeichnungen der Salonmalerei, die in vielen Beispielen Davids kalte Oberflächen vulgarisiert hatte.

Damit tritt eine Absage an eine nur noch reproduzierende Kunstauffassung zutage, deren Sinn nicht auf der von Aragon gemeinten Materialität der Dinge, sondern auf einer platonischen Zeichenhaftigkeit beruht. Wie diese Zeichenhaftigkeit hergestellt wurde, spielte, sofern das Erkennbare erkennbar war, kaum eine Rolle. Der Einbruch des Materials hingegen, der breiten Pinselstriche, der Gebrauch der Spachtel und die bald dicht, bald trocken gemalten Flächen wollten auf die Künstlichkeit der Malerei verweisen, eine Künstlichkeit, die ihrem Wesen direkter entgegenkommt als die in Farbe gefaßten platonischen Ideen, die eine falsche Künstlichkeit in falscher Natürlichkeit hervorbrachten. Demgegenüber aber ist die Teilung des Malmaterials in Bezeichnungsmittel und in Bildelement, die dem einen wie dem anderen eine Selbständigkeit zugesteht, gleichzeitig aber beides in eine reziproke Abhängigkeit setzt, seit je für die Malerei eine Selbstverständlichkeit gewesen. Nimmt die Bezeichnung überhand, haftet dem Bild, wie die Salonmalerei es vorführt, etwas Gespenstisches an. Überwiegt das Material, läuft es Gefahr, in Textur und Dekoration zu enden, wofür es eine

Vielzahl von Beispielen in der abstrakten Malerei nach 1945 gibt.

Courbet steht exemplarisch da, weil er über seinen Sujets nicht die Künstlichkeit seines Handwerks vergaß. Wenn er auf eine Leinwand weiß-ocker Schichten spachtelte, so hat das seinen Reiz als peinture: von weitem gesehen, ergibt sich ein Kleid. Das Bild, 1862 gemalt und »Mädchen mit Blumen« betitelt, zeigt, gerade in seiner Skizzenhaftigkeit, auch etwas anderes. Courbet nämlich hat sich trotz allen Realismus eines wirksamen Systems der Deformation bedient. Der Nacken der Frau zieht sich, als Kurve, bis in die Schulter hinein: er ist mehr Kurve als Nacken im anatomischen Verstand. Der Blumentopf ist in Vorderansicht gezeigt, während der Tisch, auf dem er steht, in leichter Aufsicht das Bild abschließt, der Fläche also den notwendigen Tribut zollt. Die Verschiedenartigkeit der Blickpunkte und das Aufklappen von perspektivischen Verkürzungen findet sich später bei Cézanne ein. Schließlich ist das Profil der Frau fast schon abgewandt; allein das Auge nimmt an der Verkürzung nicht teil und wirkt somit zurückgesetzt. Beispiele dieser Art lassen sich reihen. Sie bezeugen, in welchem Maß Courbet auf ungewohnte Weise zu sehen imstande war und seinen Malakt, so schnell er mitunter auch vonstatten ging, mit formalen Erfindungen begleitet, ja ausgestochen hat. Benjamin weist darauf hin, daß »Die Woge« der Photographie ein Sujet geschenkt hat, und er sieht Courbets besondere Stellung darin, daß er der letzte war, der versuchen konnte, die Photographie zu überholen.[12]

Das gegenständliche Jawort

1. Selbstporträts

Über sich selber hat der Maler Klee einmal gesagt, diesseitig sei er gar nicht faßbar. Denn, so fügte er hinzu, er wohne »grad so gut bei den Toten wie bei den Ungeborenen«, um nunmehr programmatisch fortzufahren: »etwas näher dem Herzen der Schöpfung als üblich, und noch lange nicht nahe genug«.[1] Die Sätze sind wiederholt zitiert worden; auch stehen sie, als Inschrift, auf Klees Grabstein. Sie könnten von einem Raffael ohne Hände stammen oder aber von einem Künstler, dem die Stoffe, die er handhabt, lästig sind und die Anschaulichkeiten, die er von Berufs wegen auf den Leinwänden festzuhalten hat, eine Qual. Religionsstifter pflegen so zu sprechen, Geisterbeschwörer oder schlichte Mystiker vor einer ihnen unbegreiflichen Natur. Ein Maler, der diesseitig nicht faßbar sein will, erteilt dem, was er malt, eine Absage: wenn er sich auf eine Schöpfung beruft, der er noch lange nicht nahe genug ist, so muß er sich die Frage gefallen lassen, wie sich ein solches Dunkel zu seinem Handwerk verhält. Malerei nämlich hat in erster Linie etwas mit Farben, mit Formen und mit Strichen zu tun, über die das Jenseits nicht verfügt.

Zum geschriebenen Selbstporträt allerdings stehen die gemalten und gezeichneten Selbstporträts in einem sonderbaren Kontrast. Klee veranstaltet mit seinem Gesicht ein Schauspiel, bei dem das Faßbare in keiner Weise zu kurz kommt. Das jugendliche Selbstbildnis aus dem Jahr 1910 zum Beispiel läßt an Anschaulichkeit nichts zu wünschen übrig. Aber auch die weniger naturgetreuen Bilder, die einen Künstler mit Klees Zügen zum Thema haben, geraten eher in die Nähe der Karikatur als in die Nähe einer nicht genau bestimmten Schöpfung. 1919 hat Klee ein Selbstporträt mit dem Titel »Versunkenheit« gezeichnet. Zwar widerspricht der Titel nicht dem, was auf dem Bild zu sehen ist, nur überkommt den Beschauer zu Recht ein Zweifel, ob sich hier ein in sich selbst versunkener Künstler abgebildet oder ob er sich persifliert hat. Die Augen, maskenhaft groß, sind mit zwei Federstrichen geschlossen. Die Lippen hat Klee aufgeworfen gezeichnet und obendrein mit Rillen versehen. Bart und Kinnbart ergeben ein verzagt wirkendes Muster. Wenn so Versunkenheit aussieht, dann deshalb, weil Klee sie auf sein Gesicht bezieht. Ohne den Titel jedoch sähe man in der Zeichnung abermals eine Karikatur, derzufolge Klee sich selber, auch im Zustand der Versunkenheit, nicht recht ernst nehmen kann.

Klee ist als Maler nicht immer leicht zu entschlüsseln. Er ist aber, auf der anderen Seite, bei weitem nicht der Besucher aus dem All, zu dem ihn eine ganze Gemeinde, nicht ohne sein Zutun, das ist wahr, hat stempeln wollen. Heute, aus einer Distanz gesehen, die Nüchternheit mit sich bringt, setzt sein Werk eine Anzahl von Gegensätzlichkeiten frei, die formal zwar oft ausbalanciert sind, trotzdem aber gerade dort weiter bestehen, wo ein thematischer Anspruch im übertragenen wie im Wortsinn in der Luft hängenbleibt. Picasso hat sich Zeit seines Lebens mit einer realistischen Sehweise herumgeschlagen, die er oft nur unter Anstrengungen mit den Forderungen einer enthaltsamen Malweise in Einklang bringen konnte. Klee sieht nicht realistisch: vielmehr meditiert er über Unsichtbares und Nichtsichtbares, das er mit sehr materiellen Elementen, einem Rot, einem Kreis, einer Linie, ausdrücken muß. In Fällen wie dem seinen gibt es zwei Wege. Entweder man läßt diese Elemente sich selbst bezeichnen und

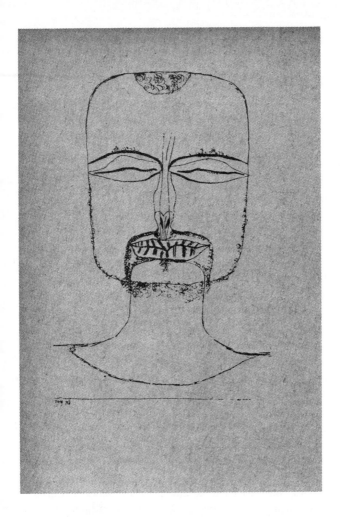

den Beschauer, der sich darauf seinen Reim machen kann, allein, oder aber man benutzt sie, um etwas Gesehenes dingfest zu machen. Dieses Entweder-Oder bleibt bei Klee auf der Strecke.

2. Ein gütig Jenseitiges

Wie nämlich steht eine solche Eigenheit der Malerei im Verhältnis zu dem, was bezeichnet werden soll? Ist der Mond ein Kreis oder wird der Kreis, sobald er im Bild an einer bestimmten Stelle auftaucht, zum Mond? Und inwiefern ist Malerei überhaupt imstande, Gedankenbilder oder schwankende Vorstellungen zu übersetzen? Um diese Fragen theoretisch zu beantworten, hat sich Klee zuweilen auf eine Art hausgemachter Metaphysik berufen. Das allerdings ist nur ein Teil seiner Arbeit gewesen, und man geht nicht fehl, wenn man darin eine Begleiterscheinung sieht, die für die damals moderne Kunst typisch war. Der Kubist Albert Gleizes sprach, sobald er mit einer Erklärung nicht zu Rande kam, von »Magma«. Kandinskys Anleihen bei der Anthroposophie sind in *Über das Geistige in der Kunst* nachzulesen. Im Augenblick, da die Malerei davon abläßt, großangelegte Sujets, Nachtwachen, die Übergabe von Breda oder nur die Schauspiele der Natur wiederzugeben, gerät sie in einen Zwiespalt. Auf der einen Seite wird sie vom bildnerischen Denken beherrscht, wie Klee es einmal nannte, vom Denken also, das sich mit Formen, Gestalten und ihren Zusammenfügungen befaßt. Auf der anderen Seite kommt die Absicht ins Spiel, die Symptome der Außenwelt in jene Vermittlungen umzumünzen, ohne die das, was die Außenwelt bestimmt, nicht faßbar wird. Ein Philosoph würde vom Gegensatz zwischen Autonomie und Heteronomie sprechen.

Nun war Klee alles andere als ein dilettantischer Schwärmer. Er hat über die Elemente der Malerei Gedanken formuliert, die sich heute noch vorbildlich lesen. Er hat, als Kunst- und Musikkritiker für die Berner Zeitschrift *Alpen*, einen Witz und einen Scharfsinn entwickelt, die an den Kritiker Robert Musil erinnern. Nach dem

Krieg jedoch, als es nicht nur in der Bundesrepublik zu einer wahren Klee-Mode kam, hat man gerade in der Bundesrepublik aus diesem Maler die Hauptfigur eines Weihespiels gemacht. Ein dickleibiges Buch von W. Grohmann, der Klee immerhin gekannt hat, schildert, 1954 erschienen, mit einer die grammatischen Regeln überspringenden Hast zwar Klees Lebenslauf sowie das, was auf einer Vielzahl von Abbildungen zu sehen ist; sobald es aber um Diskussion der Probleme geht, die Klees Bilder seit je beherrschten, verliert sich der Text im Ungefähren. Es ist von Symbolen die Rede, die einen tiefen Sinn verhüllen und enthüllen. Einmal meint der Verfasser, Klee sage in den Bildern über sich selbst aus, aber dieses Selbst reiche tief in die Welt der Mythen hinab. Gegen Ende fallen die Sätze: »Mozart hinterließ eine Welt von Musik, die auch dem klingt, der ihre Zuordnung zur Welt der Sinnbilder nicht versteht. Klee hinterließ eine Welt von Bildern, die auch dem lebt, der ihr Übergreifen ins Unbedingte nicht an sich erfährt.«[2]

Es steht außer Frage, daß Klee in manchen Tagebucheintragungen solchen Deutungsversuchen Vorschub geleistet hat. Allein, für die Öffentlichkeit waren die Tagebücher nie bestimmt. Auf diese gestützt aber hat hierzulande die Nachkriegskritik ein Klee-Bild in Umlauf gesetzt, wie es sich obskurantischer nicht denken läßt. Ein Schulbeispiel liefert das Kleebuch von W. Haftmann, darin folgende Passage zu finden ist: »In den Düsseldorfer Jahren tritt Klee in diesen abgeschlossenen Ring des Lebens weiter zurück. Zauberisch für seine Umwelt, seltsam, unbegreiflich oft, empfand doch jeder, der sich ihm näherte, die tiefe sinnende Menschlichkeit, ein gütig Jenseitiges, das Klee zu einem kleinen etwas mehr als ein Mensch machte.«[3] Angesichts solchen Schwachsinns, der, wie es scheint, in den fünfziger Jahren nicht nur gedruckt, sondern auch gelesen worden ist, liegt es nahe, daß man sich auf Klees Bilder besinnt. Wenn, wie er sagte, Kunst nicht das Sichtbare wiedergibt, sondern sichtbar macht, so stellt sich damit ein zentrales Problem: was ist von dem, was Klee sichtbar machen wollte, wirklich sichtbar, das heißt: der Wahrnehmung überantwortet.

3. Individualisierte Höhenmessung

Dabei geschieht es des öfteren, daß man im Museum etwa vor einer Anzahl kleinformatiger Bilder steht, die geschmackvoll koloriert und sorgfältig in Flächen geteilt sind. Nicht daß sie süßlich wirken: mitunter aber sind sie in einer penetranten Weise ausgewogen. Dieser erste Eindruck allerdings macht einem zweiten Platz. In sämtlichen Bildern tauchen Erkennungszeichen auf, die jeweils als Augen, Dächer, Kreuze, Pfeile und Spiralblüten zu identifizieren sind. Den weiteren Eindruck bestimmt ein Blick auf die Schilder, die ausgesprochen literarische Titel vermerken. Diese Titel fügen bald dem Bild etwas hinzu, bald tragen sie zur Verwirrung des Beschauers bei, falls der sich darauf einläßt, die in den Titeln angegebenen Vorgänge auf dem Bild in aller Buchstäblichkeit zu suchen. Daß sich der Beschauer seiner Binsenweisheiten nicht sicher fühlen soll, entspricht natürlich Klees Intention. Außerdem bezeugen die Titel Ironie. Das nun steht im Gegensatz zu vielen Tagebucheintragungen und, wie es sich von selbst versteht, zur Prosa einer bundesdeutschen Kunstkritik, die anmutet, als schriebe eine Portiersfrau einen Kondolenzbrief. Klee sind Idealisten nicht unsympathisch, nur enttäuscht er sie von Fall zu Fall. Mit Rationalisten kann er Gespräche über seine Maltechnik führen, nur traut er ihnen nicht über den Weg. Kausalitäten finden in den Bildern lediglich dort statt, wo es sich um die Bildgesetze handelt. Ein Blau wird, komplementär, von einem Orange unterstützt, eine ornamentierte Fläche von einer leeren. Damit aber hat es nicht sein Bewenden, wie es die Erkennungszeichen, die Augen, die Pfeile, die Spiralblüten, vorführen. Selbst eine durch und durch abstrakte Flächenteilung heißt anekdotisch: »Individualisierte Höhenmessung der Lagen«. Was ist eine individualisierte Höhenmessung? Das Innenleben eines Geometers? Abgesehen davon, daß auf dem Bild nur verschiedene längliche Vierecke zu sehen sind, von denen ein jedes mit einer anderen Farbe ausgemalt ist: das Bild, so scheint es, und sein thematischer Anspruch sind nicht das gleiche. Das Bild schildert etwas oder, um es mit Klee zu sagen, es macht etwas sichtbar. Man kann die Raffinesse bewundern, damit die Felder auseinanderfallen und sich zusammenfügen; man kann, vom Titel ausgehend, Spekulationen über die Individualität anstellen, die jene Höhen der Lagen vermißt. Damit aber bekommt man es mit zwei Abgliederungen zu tun, die Klee zwar nicht außer acht läßt, die aber, nimmt man das Bild genau, auf falsche Spuren führen.

4. Die Grenzen des Verstandes

Fraglos enthält der Titel einen Hinweis, den man sogar, paradoxerweise, wörtlich verstehen kann. Die länglichen Vierecke sind Lagen; sie schichten sich übereinander, und wenn vom Individualisierten die Rede ist, dann deshalb, weil Klee darauf hinweisen will, daß er nicht, wie sein Freund Kandinsky, mit reinen Form- und Farbkombinationen operiert. Gleichzeitig soll, gerade mit einem Titel, der angesichts des Bilds so abwegig nicht klingt, Abwegiges in Gang gesetzt werden. Ähnlich wie bei Magritte,

aber mit andersgearteten Mitteln, fallen im selben Bild die
Bedeutungsebenen auseinander. Ein Rosa kann ohne weiteres süß wirken, ein Grün vegetabil: wer sich aber, kraß
gesagt, in Assoziationen wie Zuckerwerk oder Wiese ver-
strickt, zielt am Bild vorbei. Die Komplikation ergibt sich
daraus, daß Klee trotzdem solche Assoziationen nicht ganz

von der Hand weist. Zu seinen Zeiten kam sich der unvorbereitete Beschauer, sobald er an die kleinformatigen, oft mit spitzem Pinsel gemalten Bilder geriet, die ihn an Kinderzeichnungen oder an bekritzeltes Löschpapier erinnerten, genarrt vor. Diese Mißbilligung hat Klee in Kauf genommen, wenn nicht gesucht, und damit gerät eine polemische Note in die ausbalancierten Flächen. Rudolf Arnheim, ein im allgemeinen doch kluger Kopf, hat 1930 in der *Weltbühne* seinem Ärger über Klee dadurch Luft gemacht, daß er von Blättchen Papier sprach, auf die mit ungelenker Hand ein paar Zweiglein oder ein paar Männerchen gemalt sind, die »von der unmündigen Tochter des Hauses stammen könnten«. Dieses kindliche Figurenwerk befriedige die Bedürfnisse eines Bürgertums, das sich bei Sofapuppen und allerlei Grotesknippes, in koketter Verachtung für alles Geistige und Problematische, von den Schrecken der großen Zeit erhole.[4] Klee in der Spielzeugstube: das ist nicht einmal ein Fehlurteil, das ist die Abwehr einer Bilderwelt, die in ihrer vermeintlichen Primitivität der großen Zeit den Boden entzieht. Die Zweiglein und die Männerchen führen nicht allein auf bildnerische Grundformen zurück, sie setzen reale Männer und reale Zweige auch einer Lächerlichkeit aus, die Arnheim prompt auf Klees Strichwerk rückprojiziert.

Dem historischen Beschauer, dem Zeitgenossen, muß Klee nicht nur Sichtbares anbieten, er muß ebenso Sichtbares in Abrede stellen. Das hat, wie im Fall Magrittes, mit den visuellen Vorurteilen zu tun, die dieser Beschauer in eine Kunstausstellung mitbringt. Ihm, der mit der Bildwelt historischer Schinken, mit Kinodramen und Photoreportagen im Kopf sich Kunst ansieht, hält Klee ein Bild entgegen, das er »Die Grenzen des Verstandes« nennt. Das Bild ist denkbar einfach angelegt. Eine Riesensonne oder ein Mond, ein Gestirn in jedem Fall, hängt über einer

Konstruktion aus Linien, die wie mit der Reißschiene gezogen wirken und, sinnlos in der unteren Hälfte, mit zwei Leitern, sinnvoll also plötzlich, auf eine Plattform unter das Gestirn führen. Die Plattform ist leer und sieht so aus, als wäre sie, samt der Leitern, für einen Vogelbauer entworfen worden. Innerhalb der Konstruktion nun, die vor allem den Fleiß bezeugt, mit dem sie so sauber und sorgfältig gezeichnet und schraffiert ist, hängt eine Form, die man, auch wenn man in Klees Ikonographie unbewandert ist, unschwer als Pflanze erkennt. Die Fleißarbeit reicht nicht bis zum Mond oder bis zur Sonne, auch wenn sie, in ihrer Ordnungswut, die Pflanze symmetrisch teilt. Die Bedeutungen sind ironisch durchbrochen, und die Simplizität der Zeichen macht es nur noch schlimmer.

5. Wutanfall und männliche Reife

Die Ironie allerdings kann auch Selbstironie sein, die Kritik am Verstand Selbstkritik. Stehen die sauber gezogenen Linien nicht als Parabel für die Arbeit des Malers Klee ein, die unter dem kreisrunden Gestirn etwas von Vergeblichkeit an sich hat? Die Linien sind ein reines, ein bildnerisches Material; das Gestirn hingegen ist ein Zeichen, das störend im Bild hängt. Klees Diskrepanz zwischen der Dinglichkeit der Formelemente und der Buchstäblichkeit seiner Erkennungszeichen kommt im Bild ohne Umschweife an den Tag. Entscheidend jedoch ist die Demonstration eines solchen Antagonismus, denn ihn kennt die moderne Malerei in dieser Nacktheit nicht. Der Gegensatz von Natur und Konstruktion, vorgeführt mit dem in der Luft hängenden Kreis, der den weniger deutlichen Elementen erst ihren Sinn verleiht, zeigt, daß womöglich auch der Maler hin- und hergerissen ist zwischen den Verstandesgrenzen und dem Fleiß, der sie überwinden soll. Schließlich kommt auch der Karikaturist zu seinem Recht: mit der vogelbauerartigen Plattform und den eher erbärmlichen Leitern.

Anders gesagt: Klee war sich seiner Widersprüchlichkeit bewußt. Sie, nicht das Jenseits, ist sein Thema. Wie viele Maler seiner Generation, nicht anders als Picasso oder Matisse, hat er sich darüber Rechenschaft abgelegt, daß eine Zusammenfassung der bildnerischen Mittel Gefahr läuft, die Realität zu denaturieren. Das Denaturieren aber kann, sofern die Realität im Blickfeld bleibt, zu ihrer Bezeichnung beitragen. Der Sinn der Außenseiten muß, ums mit Brecht zu sagen, »in die Funktionale rutschen«. Kandinsky hingegen hat darauf bestanden, daß eine Gerade oder eine Farbe von sich aus schon Realitäten sind, die keiner Bestätigung bedürfen. Er sprach, peremptorisch, von absoluten Realitäten. Dem ist Klee nicht gefolgt. Denn ein Rot oder ein Gelb sind in keiner Weise absolut: der naive Beschauer, der sie mit Blut oder mit einem Strand in Verbindung bringt, macht immerhin einen Realitätsbezug geltend, der nicht damit abzutun ist, eine Farbe sage allein etwas über die eigene Dinglichkeit aus und weiter nichts. Schließlich hat Kandinsky über das Rot und das Gelb nicht so frei verfügen können, wie er es wollte. In seinen frühen Bildern, in die ersten Abstraktionen, warf, dramatisch fast, der abwesende Gegenstand seinen Schatten: das Landschaftliche ist nicht zu übersehen und die Farben kommen nach wie vor, expressiv zwar, aber mit naturalistischen Bezügen, ins Spiel. Gegen diese Bezüge geht Kandinsky später auch an, indem er sich die eigene Farbsymbolik schafft: Gelb beispielsweise soll für einen Wutanfall stehen, Rot für männliche Reife.

6. Eine Reise

Klee wäre sicherlich froh gewesen, wenn ihm eine solche sei es naive, sei es voluntaristische Symbolik eingeleuchtet hätte. Der Karikaturist in ihm hätte, wie es übrigens ein paar Zeichnungen zeigen, den Wutanfall anders aufgefaßt und die männliche Reife verzerrt. Auch dürfte ihm klar gewesen sein, daß der Volksmund da andere Bezeichnungen kennt: Rot ist die Liebe und Gelb ist der Neid. Diesen Volksmund hat Klee nicht außer acht gelassen, was nicht zuletzt die Erkennungszeichen bestätigen, die seinen Bildern die Lesbarkeit gewährleisten sollen. Im Gegensatz zu Kandinsky, Mondrian und Malewitsch ist er ein unreiner Maler gewesen, dort zumal, wo er jene Verständigungswerte in Betracht zieht, denen zufolge ein Rot, wenn nicht die Liebe, und ein Gelb, wenn nicht der Neid, beide in keinem Fall der Selbstinhalt sind, den seine Kollegen befürwortet haben. Damit aber kommt er auf andere Weise zu den Realitätsentnahmen, die für Picasso oder Matisse charakteristisch sind.

Wie beispielsweise malt man eine Reise? Klee fragt nicht, wer reist und zu welchem Zweck. Er bleibt, was die Reise betrifft, allgemein. Er setzt, wie er es nennt, einen toten Punkt und darüber hinweg eine bewegliche Tat, eine Linie. Eine folgende, unterbrochene Linie signalisiert ein Atemholen, einen Halt. Eine Gegenlinie stellt einen Rückblick dar. Ein Fluß, der mit einem Boot durchquert wird, schlägt sich in Wellenlinien nieder. Oben, so heißt es, wäre eine Brücke zu überqueren: folglich zeichnet Klee eine Bogenreihe hin. Mit seinen Worten: »Wir durchqueren einen ungepflügten Acker (Fläche von Linien durchzogen), dann einen dichten Wald. Er [ein gleichgesinnter Freund] verirrt sich, sucht und beschreibt einmal gar die klassische Bewegung eines laufenden Hundes. Ganz kühl bin ich auch nicht mehr: über neuer Flußgegend liegt Nebel (räumliches Element). Bald wird es indessen klarer. Korbflechter kehren heim mit ihren Wagen (das Rad). Bei ihnen ein Kind mit den lustigen Locken (Schraubenbewegung). Später wird es schwül und nächtlich (räumliches Element). Ein Blitz am Horizont (Zickzacklinie). Über uns zwar noch Sterne (Punktsaat).«[5]

Es folgt eine Steigerung der Gefühlsmomente, begleitet von einer ebenso gesteigerten Zeichensprache. Das Zitat stammt aus einem Beitrag, den Klee für den 1920 erschienenen Sammelband *Schöpferische Konfession* geschrieben hat. Wer ihn liest, wird sofort die Sprachbeherrschung zur Kenntnis nehmen: das ist gearbeitete Prosa, kein üblicher Malertext. Die Abfolge ist makellos, jedes Wort hat einen rhythmischen und einen Stellenwert. Andrerseits gibt Klee für die beschriebenen Ereignisse formale Kürzel an. So kehren die Korbflechter in ihren Wagen heim. Ein jeder, der den Satz hört, muß sich eine Bewegung von Leuten vorstellen; er denkt, weil das Wort Korbflechter fiel, an Flechtwerk, und den Wagen sieht er vor sich als vierrädiges Gefährt. Klees Anweisung jedoch lautet anders: er beschränkt den ganzen Vorgang auf ein einziges Zeichen, das Rad. Er macht also auf eine indirekte Weise deutlich, daß er zwischen Vorstellung und Zeichen eine Diskrepanz sieht. Denn kurioserweise verliert das ganze Schauspiel, das die Beschreibung bietet, in dem Augenblick einen guten Teil seiner Bildhaftigkeit, da sich Klee auf das Sichtbare besinnt. Er löst nicht ein, was er beschreibt; er entzieht es, mehr noch, der Seherwartung. Man fragt sich, ob nicht abermals, mit der sorgsamen Beschreibung und dem kargen Kürzel, auf diese Diskrepanz hingewiesen werden soll. Auch die später folgenden Sätze rücken sie nicht aus dem Blickfeld: daß man früher Dinge schilderte, die man gern sah oder gern gesehen hätte, nunmehr aber die Relativität der sichtbaren Dinge offenbar gemacht wird; daß Sichtbares im Verhältnis zum Ganzen nur ein isoliertes Beispiel sei; daß, schließlich, eine Verwesentlichung des Zufalls angestrebt werde. Die Diskrepanz wird somit zum Sujet. Hinter den Formalitäten wartet, wie bei Magritte, die Skepsis.

7. Der Werkzeugschrank

Klees Griff nach den Sternen ist eine Sache, eine andere ist seine Arbeit auf der Leinwand und auf dem Stück Papier. Hat man sich darauf eingelassen, die Gegensätze zwischen Sichtbarkeit und Themenstellung festzustellen, so muß man dazu übergehen, ihre materielle Präsenz ins Auge zu fassen. Es stimmt schon, der Ausgleich zwischen dem Material und dem metaphysischen Anspruch findet nicht statt. Die Sensibilität aber, mit der diese Bilder im Wortsinn gemacht sind, nimmt sofort gefangen. Das Material ist auf eine fast überempfindliche Weise über sich selber hinausgetrieben worden. Wie eine Farbe aufgetupft oder auflasiert, eine Linie unterbrochen ist, übertrifft die an sich schon abgestimmten Mischtechniken und Gründe. Seiner ganzen Veranlagung nach, womöglich aufgrund seiner musikalischen Befähigung, ist Klee ein abstrakter Maler gewesen. Er überschreitet jedoch die Abstraktion in einem fort, nicht in die Richtung einer zunehmenden Auflösung von Bild und Bildidee; er zielt in eine andere, das Erzählerische vom entgegengesetzten Pol her aufnehmende Richtung.

Dazu allerdings gehört es, daß Klee das bildnerische Element in den Vordergrund rückt und es nicht opfern will. Seinen Schülern hat er einmal gesagt, ein Teil seiner Aufgabe bestände darin, eine Art von ideellem Malkasten vor ihnen aufzubauen, eine Art Werkzeugschrank. Grundsätzlich gilt das auch für ihn. Er hält sich zunächst einmal an das, was er vor sich hat, eine flache Leinwand nämlich, die auf einen viereckigen Keilrahmen gespannt ist. Die Fläche und das Viereck ergeben bereits zwei Elemente, die während der folgenden Arbeit nicht hinwegzudenken sind: sie müssen organisiert, in keiner Weise aber überflügelt werden. Die Schauspiele der Natur, die Zufälle, aber auch die Gedankenspiele sollen an dem gemessen werden, was die Fläche und das Viereck anordnen. Für Klee sind sie konkretere Sachverhalte als das, was die Dingwelt ihm vorschlägt. Ein Kunstwerk, so sagt er in seinem berühmt gewordenen Jenaer Vortrag, mache stets eine spezifische Dimension geltend. Er zählt, um das zu erläutern, mehr oder minder begrenzte Dinge auf wie die Linie, das Helldunkel und die Farben. Seinem Publikum, das er als ungelerntes Publikum versteht, hält er die Eigenschaften der verschiedenen Formelemente vor. Eine Linie ist ein Maß, das Helldunkel ist Gewicht und eine Farbe Qualität. Das letztere bedeutet, in seinen Worten: ein Rot und ein Gelb können gleich hell, also gleich gewichtig sein; was sie voneinander unterscheidet, ist das Gelbe und das Rote, so wie man Salz und Zucker äußerlich vergleichen kann, bis auf ihr Salziges und Süßes.

8. Formalität und Realität

Diese Elemente nun sollen in einen Zusammenhang gebracht werden, den Klee Gestalt oder, schlichter noch, Gegenstand nennt. Er spricht als Techniker, er begibt sich aber gleichermaßen auf ein Gebiet, das er die inhaltliche Seite nennt, und hier bittet er um Vorsicht. Denn die formalen Mittel haben wiederholt nicht dazu gereicht, die größten und wichtigsten Inhalte »trotz schönster seelischer Beanlagung« auszudrücken. Damit meint er offenbar die Mammutbilder mit historischen oder mythologischen Sujets eines Böcklin, eines Kaulbach oder seines Lehrers Stuck. Solchen Bildern fehle die Orientierung auf der formalen Ebene. Andrerseits muß eine präzise Orientierung nicht zwangsläufig zu einem besonders zwingenden Kunstwerk führen. Klee ist nicht Kandinsky, Mondrian oder Malewitsch. Die formalen Elemente und ihre gegenseitige Bindung setzen vielmehr eine Wahl voraus: nicht zufällig sind die Titel oft ausführlicher als die an Strichmännchen erinnernden Figuren. Denn nach wie vor geben die Elemente den Ton an.

Ein Risiko jedoch stellt sich von selbst ein. Klee weist darauf hin, daß sich das, was auf der Leinwand vonstatten geht, erweitern kann. Das Gebilde sieht womöglich nach etwas aus. Eine Assoziation tritt hinzu, in der »Rolle des Versuchers zu einer gegenständlichen Deutung«. Damit rührt er an ein Grundproblem der abstrakten Kunst. Denn jedes Gebilde von höherer Gliederung, so sagt er, ist geeignet, mit einiger Phantasie in ein Vergleichsverhältnis zu bekannten Gebilden gebracht zu werden. Kandinsky hat sich einmal darüber empört, daß eines seiner Bilder das Kanonenbild genannt wurde, obwohl in einer Ecke kanonenartige Striche deutlich zu erkennen waren. Diese assoziativen Gefälle macht Klee dafür verantwortlich, daß es ständig zu Mißverständnissen zwischen dem Künstler und dem Laien kommt. »Während der Künstler«, so erklärt er mit Witz, »noch ganz im Bestreben ist, die formalen Elemente so rein und so logisch zueinander zu gruppieren, daß jedes an seinem Platz notwendig ist und keines dem anderen Abbruch tut, spricht irgendein Laie, von hinten zuschauend, schon die verheerenden Worte: ›Der Onkel ist aber noch sehr unähnlich!‹ Der Maler denkt sich, wenn er disziplinierte Nerven hat: ›Onkel hin, Onkel her! Ich muß weiterbauen . . .‹ Dieser neue Baustein, sagt er sich, ist zunächst wohl etwas schwer und zieht mir die Geschichte zu sehr nach links; ich werde rechts ein nicht unbedeutendes Gegengewicht anbringen müssen, um das Gleichgewicht herzustellen.«[6]

Entscheidend aber ist das, was folgt. Klee beschreibt sich als wägender und das Gleichgewicht suchender Handwerker, der sich mit Bedacht in seine Formalitäten versenkt. Heilfroh, so sagt er, wäre er, wenn er die rein begonnene Konstruktion einiger guter Elemente nur so weit zu erschüttern brauchte, als Widersprüche und Kontraste in ein lebensvolles Gebilde hineingehören. Das »Aber« läßt nicht auf sich warten. Die Widersprüche und Kontraste, von denen die Rede ist, sind natürlich formal gemeint, im Sinn der Komplementärfarben oder der Massen und Leerzonen. Das jedoch ist gleichsam ihr Unterbau, denn es können sich auch Widersprüche und Kontraste komplizierterer Natur ergeben. Klee kommt auf die Assoziation zurück, die anfangs die Arbeit behelligt hat. »Früher oder später«, so sagt er, »kann sich auch bei ihm [dem Maler] ohne die Zwischenbemerkung eines Laien jene Assoziation einstellen, und nichts hindert ihn daran, sie zu akzeptieren, wenn sie sich unter einem zutreffenden Namen einstellt.«[7] Was nichts anderes bedeutet, als daß Klee seine Formalitäten immer wieder den Verführungen durch die Realität aussetzt. Das Resultat einer solchen Verführung nennt er, mit einer glänzenden Formulierung, das gegenständliche Jawort.

9. Der Zufall und die Stereotypen

Die Präzision im Umgang mit den Bildelementen verliert ihre Sprödigkeit im Verlauf des Malens. Bislang hatte ein anderer Arbeitsprozeß die Bilder bestimmt. Alles, was auf der Leinwand in Erscheinung trat, war, auf diese oder jene Weise, dem Motiv entnommen: das Bild entwickelte sich vom Motiv zur Malerei, und selbst wenn man, um der Wahrheit willen, einräumt, daß sich kein Bild derart geradlinig entwickelt, muß man trotzdem davon ausgehen, daß die Grundtendenz eines jeden Malvorgangs nach diesem Schema verlief. Cézanne hat sich den Mont Sainte-Victoire auf das Genaueste angesehen, bevor er ihn gemalt hat, und noch Picasso zog das, was er sah, ins Bild: ohne seine Vorlagen, so scheint es, die Mandolinen, die Pfeifen oder den modellsitzenden Kahnweiler, wären auch die kubistischen Bilder nicht zustande gekommen. Die Außenseite der Dinge, die den Dingen überhaupt erst zur Sichtbarkeit verhilft, ist von den Kubisten zwar zersplittert und in Bestandteile zerlegt, die Handgreiflichkeiten dieser Dinge und ihre logischen Zusammenhänge sind jedoch auch dort gewahrt worden, wo der Hals einer Violine neben dem Instrument hängt oder die Beine eines Harlekins zugleich die eines Tischs sind.

Klee kehrt das Verhältnis um. In dürren Worten: er bedeckt eine Leinwand mit Farben und Formen, bald einer Improvisation folgend, bald jenen Abwägungen, die er im Jenaer Vortrag beschrieben hat. Die Formen werden aus den Gestaltungsmitteln direkt abgeleitet: erst im Verlauf der Operation stellt sich das Thema ein. Eine Art Hasardspiel bringt sich aus Anlässen in Gang, die gering sind: Klee hebt mit ein paar Farbflecken an, mit ein paar Linien, mit einer Tonalität. Bevor er ein Zeichen umreißt, setzt er es Zufällen aus, die er mit dem Malmaterial ebenso hervorruft wie steuert. Die Phantasie des Malers soll auf Kulminationspunkte hintreiben, die Thema, Bedeutung und Sinn ergeben. Allein, das gegenständliche Jawort würde sich kaum einstellen, wenn Klee nicht auch über die Assoziation gebieten könnte. So nämlich wie er ein Repertoire von Gestaltungselementen in Anspruch nimmt, verfügt er auch über ein Repertoire der vorgefertigten Zeichen, die als Erkennungszeichen die Bilder bevölkern. Man kann sie ohne weiteres Stereotypen nennen, schon deshalb, weil sie nicht nur den Vorstellungen des Malers Klee von Dingen und Figuren entsprechen, sondern auch denen einer Vielzahl von oft kunstfremden Leuten. Die echte oder die vermeintliche Primitivität ändert nichts daran, daß ein jeder erkennt, was gemeint ist: auch Arnheim spricht, bei allem Ärger, von Männerchen und Zweiglein. Die menschliche Figur tritt demnach als Grundform auf; der Pfeil, der Mond oder das Rad lassen sich bis in die letzten Bilder verfolgen. Unter diesen Stereotypen gibt es einige, die sich im Lauf der Zeit verändern; andere bleiben konstant. Hingegen können die abstrakteren Gebilde Züge annehmen, die gegenständliche Nachklänge zulassen und damit die Hintergründe von Mal zu Mal variieren. Eine solche Variation ist meistens mit einem hartumrissenen Stereotyp verbunden, wie umgekehrt ein Stereotyp durchlässiger bleibt, wenn es vor einem harten Hintergrund steht.

Das zeigt bereits, in welchem Maß Klee seine zweiten und dritten Bedeutungen gerade dadurch herstellt, daß er Stereotypen verwendet. Er reiht sie nämlich auf eine ungebräuchliche, ja oft absurde Weise und stellt so Zusammenhänge her, die der ersten Bedeutung des einzelnen Zeichens widersprechen. Auch hier tritt eine entfernte Verwandtschaft mit Magritte zutage, der allerdings stereotype Formen unmißverständlicher, der Dingwelt entsprechend, ins Bild brachte. Bei Klee ist das Stereotyp mitunter nichtbedeutend: was es an Bedeutung entläßt, kommt erst in Zusammenhang mit anderen Stereotypen zustande. Vor seinen Bildern wird man oftmals dazu angehalten, das Gemalte nicht nur zu sehen, sondern auch zu lesen. Ein paarmal hat Klee sogar falsche Schriftzüge und Schriftzeilen als Bild komponiert. Dieses Lesen setzt voraus, daß man im Bild einen Fixpunkt findet, in der Regel ein unzweideutiges, auf Anhieb zu entzifferndes Stereotyp, und von dort aus das Bild als ein Nacheinander wahrnimmt, so also, als hätte man eine zeitliche Abfolge, wie sie ein Text bietet, vor Augen. Während aber gemalte Bilder meistens auf einen Blick oder dank einer mechanischen Augenbewegung von unten nach oben oder von links nach rechts wahrgenommen werden, kann man Klees Bilder auf eine sich abwechselnde Weise lesen, auf eine Weise oft, die dem Bildcharakter widerspricht. Das Viereck der Leinwand zieht Grenzen, die nicht für das gelten, was die Motive und die Sujets entlassen.

10. Karikaturen

So unsinnig es ist, Klees Ambivalenzen auf Nenner zu bringen, die ein Blick auf die Bilder in Frage stellt, so fahrlässig ist es auch, diese Malerei, wie es die Kritik der fünfziger Jahre versuchte, als Ufo auszuweisen. Klee versteht sich als Maler in einer Gesellschaftsformation, die für Kunst nicht viel übrig hat: er weist, ohne daß er deutlich wird, diese Gesellschaft ab und unternimmt es, zumindest das auf den bildnerischen Begriff zu bringen, was er sich in Gegenzügen ausdenkt. Die Reduktion seiner Bildformen läßt sich aus der sozialen Abweisung erklären. Doch hatte er eine tätige Kunst im Sinn, und daß die Bedeutungen nur splitterhaft in Erscheinung traten, war ihm in keiner Weise recht. In seinem Jenaer Vortrag fallen am Ende die Sätze, die von Teiloperationen sprechen, mit denen er sich abgäbe, und es kommt zum Eingeständnis, daß ein Werk von großer Spannweite durch das elementare, gegenständliche, inhaltliche und stilistische Gebiet vorerst ein Wunschtraum sei. Er sagt, daß er und seine Kollegen Teile, nicht das Ganze, gefunden haben, und wenn er mit den Worten schließt: uns trägt kein Volk, macht er die Ursachen dieser Beschränkung deutlich, über die er sich nicht im unklaren war.

Trotzdem sollte man einen schon erwähnten Aspekt seiner Bilder hervorheben, der gern übergangen wird. Was an Klees Bildern noch heute unvoreingenommene Beschauer aufmerken läßt, ist, neben der Sensibilität der Malerei, der Hang zur Satire. Das Jenseitige, das in Gestalt überirdischer Wesen im Bild erscheint, ist nicht frei von Spott. Die Engel, die Dämonen oder die Luftgeister sind meistens in alltägliche Situationen verwickelt, wenn sie nicht gar alltägliche Personen mit überirdischen Attributen verkörpern. Es ist wahr, der satirische Einschlag ist oft verdeckt: zwischen den lavierten oder getupften Flächen, den behutsamen Lineamenten und den genauen Tonalitäten macht sich jedoch der Karikaturist geltend. Die Ironie, den Mond als Kreis oder Pflanzenkelche als Töpfe abzubilden, führt zu einer Verfremdung, die nicht so sehr im Rudimentären oder im Eingehaltenen der Abbildung besteht, als vielmehr in der unausgesprochenen Anweisung, diese Dinge so zu lesen, daß ihre Wörtlichkeit ins Zwielicht gerät. Das ist weniger als ein Vorschlag gemeint, die Dinge in Geheimnisse zu tauchen: sie sollen als Zerrbilder eines nicht akzeptierten So-Seins gelten. Auch ist das Zerrbild genauer als das Abbild: eine karikierte Physiognomie ist mehr Physiognomie als das bloße Ge-

sicht; eine Landschaft, die farbige Flächen durchziehen, ist bearbeiteter als Cézannes »schreckliche Natur«. Aber selbst die Bearbeitung hat bei Klee etwas Sarkastisches an sich. In einem ansonsten ziemlich hektischen Text aus dem Jahr 1921 weist Wilhelm Hausenstein immerhin auf diese Negativität hin, die er sich als Reaktion auf die Italienreise mit Hermann Haller erklärt. Hausenstein spricht, ohne das Alibi der tieferen Bedeutung, von Scherz, Satire und Ironie; er sagt von der frühen Radierung der Jungfrau auf dem Baum, sie sei »die Sabotage ihrer selbst«.[8] Indem Klee karikiert, setzt er seine Skepsis frei und den Lauf der Dinge ins Unrecht. Wer will, kann sich ausmalen, was zustande gekommen wäre, wenn Piscator für seine *Schwejk*-Inszenierung die Prospekte nicht Grosz, sondern Klee in Auftrag gegeben hätte.

Anmerkungen

Anmerkungen zu: Ein Herkules ohne Aufgaben

1 Zitiert nach der Neuausgabe: Hugo Ball, *Die Flucht aus der Zeit*, Luzern 1946, S. 145–46.

2 Ball gibt hier einen Satz Baudelaires aus *Mon cœur mis à nu* wieder: »Jeden Tag der größte Mensch sein wollen.«

3 Charles Baudelaire, *Ausgewählte Werke. Kritische und nachgelassene Schriften.* Herausgegeben von Franz Blei, München 1925, S. 355.

4 Baudelaire, *Le peintre de la vie moderne*, in: *Critique d'Art*, Paris 1965, S. 469; deutsch: *Ausgewählte Werke*, a.a.O., S. 188.

5 Baudelaire, *Le peintre de la vie moderne*, a.a.O., S. 470; deutsch: *Ausgewählte Werke*, a.a.O., S. 190.

6 Baudelaire, *Le peintre de la vie moderne*, a.a.O., S. 471; deutsch: *Ausgewählte Werke*, a.a.O., S. 191.

7 Ebda.

8 J.-A. Barbey d'Aurevilly, *Vom Dandytum und von G. Brummell*, deutsch von Richard Schaukal, München-Leipzig 1909, S. 70.

9 Barbey d'Aurevilly, a.a.O., S. 72.

10 Giulio Carlo Argan, *Elstir o della pittura*, in: *Studi e Note*, Rom 1955.

11 Die gleiche Figur, Whistlers Freundin Jo, ist auch von Courbet gemalt worden. Obwohl die linke Hand verzeichnet ist, macht Courbet aus der stofflichen Darstellung des roten Haars und der hellen Haut ein Thema, wie er auch die Pose in den Grenzen der Glaubwürdigkeit hält. Whistlers Bild soll er mit zweideutiger Höflichkeit eine »apparition« genannt haben.

12 Denys Sutton, *James McNeill Whistler*, Köln 1967, S. 10.

13 Sutton, a.a.O., S. 43.

14 Zitiert nach Sutton, a.a.O., S. 62.

15 Julius Meier-Graefe, *Whistlers L'Art pour l'art*, in: *Grundstoff der Bilder*, München 1959, S. 217.

16 Meier-Graefe, a.a.O., S. 216.

17 Zitiert nach Sutton, a.a.O., S. 7.

18 Whistlers *Zehn-Uhr-Vortrag*, zitiert nach Sutton, a.a.O., S. 55 und 57.

19 Bertolt Brecht, *Die Schönheit in den Gedichten des Baudelaire*, in: *Gesammelte Werke* 19, Frankfurt/M. 1967, S. 410. Brecht antwortet auf Benjamins Baudelairearbeit.

20 Zitiert nach Sutton, a.a.O., S. 60.

21 Gilbert Keith Chesterton, *Der Witz Whistlers*, in: James Abbot McNeill Whistler, *Die vornehme Kunst, sich Feinde zu machen*, Zürich 1972, S. 64.

Anmerkungen zu: Die sprachlosen Propheten

1 Wassily Kandinsky, *Über das Geistige in der Kunst*, Neuauflage Bern 1952, S. 72.

2 Kandinsky, *Über das Geistige in der Kunst*, a.a.O., S. 76.

3 Carl Einstein, *Kandinsky*, in: *Das Kunstblatt*, Heft 10, Oktober 1926, S. 372.

4 Kandinsky, *Über das Geistige in der Kunst*, a.a.O., S. 71, Fußnote.

5 Kasimir Malewitsch: *Suprematismus – Die gegenstandslose Welt*, Köln 1962, S. 89.

6 Piet Mondrian, *Die neue Gestaltung in der Malerei*, in: H.L. G. Jaffé, *Mondrian und de Stijl*, Köln 1967, S. 38.

7 Mondrian, *Die neue Gestaltung in der Malerei*, a.a.O., S. 88, Fußnote.

8 Mondrian, *Die neue Gestaltung in der Malerei*, a.a.O., S. 42.

9 Malewitsch, *Suprematismus – Die gegenstandslose Welt*, a.a.O., S. 64.

10 Malewitsch, *Suprematismus – Die gegenstandslose Welt*, a.a.O., S. 192.

11 Die Malewitsch-Ausstellung der Düsseldorfer Kunsthalle vom 29. Februar bis 20. April 1980 zeigte sogar eine Rückkehr zur gegenständlichen Malerei gegen Ende der zwanziger Jahre. Zuerst malte Malewitsch stark stilisierte, gesichtslose Figuren, denen er bald eine Physiognomie verlieh. 1933 entstand ein realistisches »Mädchen mit rotem Stab«, ein Porträt der Frau des Künstlers und ein Selbstporträt. Im Ausstellungskatalog wird allerdings darauf hingewiesen, daß der Maler Bilder falsch zu datieren pflegte, so daß sich die Frage stellt, ob er frühe, vorsuprematistische Malereien später wiederholt oder späte Bilder rückdatiert hat. »1930 erwähnt Lissitzky in einem Brief, daß Malewitsch ernsthaft gegenständlich male, dabei aber jeder-

mann zum Narren halte, indem er solche Gemälde auf 1910 rückda-
tiere.« (*Katalog Kasimir Malewitsch*, Kunsthalle Düsseldorf, 1980,
S. 8.) Wie auch immer: die realistischen Bilder fassen das Sprachpro-
blem auf einer Weise an, die Malewitschs theoretische Schriften
bloßstellt.

12 *The Art of the Real, an Aspect of American Painting and Sculpture
1948–1968*, Tate Gallery, London, 24. April bis 1. Juni 1969.

13 Marcelin Pleynet, *Le Bauhaus et son enseignement*, in: *Système de
la peinture*, Paris 1977, S. 149, 159 und 161.

Anmerkungen zu: Der ungläubige Realist

1 John Berger, *Succes and Failure of Picasso*, Harmondsworth, 1965.

2 Gustave Flaubert, *Briefe*, Stuttgart 1964, S. 444.

3 Gino Severini, *L'Azione di Picasso nell'Arte*, in: *Italia letteraria*, 26.
Februar 1933.

4 André Lhote, *Ingres vu par un peintre*, in: *Nouvelle Revue française*,
September 1921.

Anmerkungen zu: Dalí im Gegenlicht

1 George Orwell, *Benefit of Clergy: Some Notes on Salvador Dalí*,
in: *The Collected Essays, Journalism and Letters*, Harmondsworth
1970, Band 3, S. 185 ff.; deutsch in: *Rache ist sauer*, Zürich 1975,
S. 39 ff.

2 Edmund Wilson, *A Novel by Salvador Dalí*, in: *Classics and Com-
mercials, a literary chronicle of the fourties*, London 1951, S. 190 und
195.

3 Zitiert nach Fleur Cowles, *Der Fall Salvador Dalí*, München, o.J.,
S. 337.

4 Salvador Dalí, *So wird man Dalí*, Wien-München-Zürich 1974,
S. 156–57.

5 René Crevel, *Dalí und der Anti-Obskurantismus*, in: Salvador Dalí,
*Unabhängigkeitserklärung der Phantasie und Erklärung der Rechte
des Menschen auf seine Verrücktheit. Gesammelte Schriften*, München 1974, S. 369 ff.

6 *Dalí über Dalí*, Berlin-Wien 1970, S. 64.

7 Salvador Dalí, *Dalí sagt . . . Tagebuch eines Genies*, München 1968, S. 25–26.

8 Jean-Paul Sartre, *Saint Genet, Comédien et martyr*, Paris 1952, S. 436. Schärfer noch hat Sartre diesen Gedankengang kurz nach dem Krieg am Beispiel der Kollaborateure zum Ausdruck gebracht: »Die Mehrheit der Kollaborateure sind aus dem erwachsen, was man die ›Rechtsanarchisten‹ genannt hat . . . Indes bauten sie ihre Disziplinlosigkeit und ihre Gewalttätigkeit auf dem Begriff einer strengen Ordnung auf: und als sie ihre Dienste einer fremden Macht anboten, ergab es sich ganz natürlicherweise, daß diese unter einem diktatorischen Regime stand. Diese Elemente nämlich, deren Anarchie nur die Desintegration bezeichnet, eben weil sie diese Desintegration mehr erlitten als wollten, haben nicht aufgehört, sich als Gegenstück dazu eine radikale Integration zu wünschen. Die anarchische Freiheit, die sie genossen, haben sie für sich selbst niemals angenommen, niemals aufgegriffen, sie hatten nicht den Mut, die Konsequenzen aus ihrer streng individualistischen Haltung zu ziehen: am Rande der Gesellschaft jagten sie dem Traum einer autoritären Gesellschaft nach, in die sie sich integrieren und in der sie aufgehen könnten.« (Jean-Paul Sartre, *Paris unter der Besatzung*, Reinbek 1980, S. 63.)

9 Orwell, a.a.O., S. 191; deutsch: S. 47–48.

10 Dalí, *Die Unabhängigkeitserklärung der Phantasie . . .*, a.a.O., S. 69.

Anmerkungen zu: Von der Häßlichkeit der Deutschen

1 George Grosz, *Ein kleines Ja und ein großes Nein*, Reinbek 1974, S. 234.

2 Bertolt Brecht, *Vorwort zu »Trommeln in der Nacht«*, in: *Gesammelte Werke* 17, Frankfurt/M. 1967, S. 960 f.

3 George Grosz, *Briefe 1913–1959*, Reinbek 1979, S. 420.

4 W. I. Lenin, *Über »linke« Kinderei und über Kleinbürgerlichkeit*, in: *Ausgewählte Werke*, Moskau 1971, S. 473 ff.

5 Grosz, *Briefe 1913–1959*, a.a.O., S. 221.

6 Grosz, *Briefe 1913–1959*, a.a.O., S. 260.

7 Grosz, *Briefe 1913–1959*, a.a.O. S. 322.

8 Grosz, *Briefe 1913–1959*, a.a.O., S. 312.

9 Bertolt Brecht, *Kleines Privatissimum für meinen Freund Max Gore-lik*, in: *Gesammelte Werke* 15, Frankfurt/M. 1967, S. 468.

10 John Heartfield/George Grosz, *Der Kunstlump*, zitiert nach Fähn-ders/Rector, *Literatur im Klassenkampf*, München 1971, S. 44.

11 V. T. Kirilov, *Wir*, in: *Proletarische Kulturrevolution in Sowjetruß-land*, hrsg. von Richard Lorenz, München 1969, S. 78.

12 Kurt Tucholsky, *Wir Negativen*, in: *Gesammelte Werke* 2, Reinbek 1975, S. 52.

13 George Grosz und Wieland Herzfelde, *Die Kunst ist in Gefahr*, Berlin 1925, S. 30.

14 Carl Einstein, *Die Kunst des 20. Jahrhunderts*, Berlin 1926, S. 151/52.

Anmerkungen zu: *Magritte für Laien*

1 David Sylvester im Katalog der Ausstellung René Magritte, Tate Gal-lery, London, 14. Februar bis 30. März 1969, S. 10.

2 Harry Torczyner, *Magritte: Zeichen und Bilder*, Köln 1977, S. 200.

3 Torczyner, a.a.O., S. 156.

4 Sylvester, a.a.O., S. 8.

5 Torczyner, a.a.O., S. 170.

6 Ernst H. Gombrich, *Art and Illusion*, London 1962, S. 61; deutsch: *Kunst und Illusion*, Stuttgart 1978, S. 90–91.

7 André Breton, *Le Surréalisme et la Peinture*, New York 1945, S. 72; deutsch: *Der Surrealismus und die Malerei*, Berlin 1967, S. 78, hier aber zitiert nach Torczyner, a.a.O., S. 12.

8 Torczyner, a.a.O., S. 224.

9 Torczyner, a.a.O., S. 25.

10 S. Hans Platschek, *Vater Proudhon und der Kunsthaß*, in: *Engel bringt das Gewünschte*, Stuttgart 1978, S. 51–66.

11 Louis Scutenaire, *Avec Magritte*, Brüssel 1977, S. 42.

12 Scutenaire, a.a.O., S. 46.

1 Jean-Paul Sartre, *Der Idiot der Familie*, Reinbek 1980, Band 5, S. 389.

2 Aragon, *Das Beispiel Courbet*, Dresden 1956, S. 81.

3 Nadar zitiert diese Äußerung, die hier angeführt ist nach dem Ausstellungskatalog *Courbet und Deutschland*, Hamburger Kunsthalle, 19. Oktober bis 17. Dezember 1978, S. 494.

4 Walter Benjamin, *Zentralpark*, in: *Gesammelte Schriften* 2, Frankfurt/M. 1980, S. 662.

5 Pierre Courthion (Hrsg.), *Courbet raconté par lui-même et par ses amis*, Genf 1948 (Band 1) und 1950 (Band 2), Band 2, S. 81, hier zitiert nach *Courbet und Deutschland*, a.a.O., S. 19.

6 MEW 8, S. 122.

7 J.-F.-F. Champfleury, *Aus den Salonberichten: Ein Begräbnis in Ornans*, in: Klaus Herking (Hrsg.), *Realismus als Widerspruch*, Frankfurt/M. 1978, S. 52.

8 Courthion, a.a.O., Band 2, S. 204 ff., hier zitiert nach *Courbet und Deutschland*, a.a.O., S. 33.

9 Heinrich Heine, *Lutetia, LIX, Paris*, 7. Mai 1843, in: *Sämtliche Schriften in zwölf Bänden*, herausgegeben von Klaus Briegleb, München 1976, Band 9, S. 481.

10 Aragon, *Das Beispiel Courbet*, a.a.O., S. 34.

11 Natürlich gibt es auch Bilder von Courbet, Landschaften zumal, die er in der Schweiz gemalt hat, denen es an dieser Doppeldeutigkeit fehlt. Das Material faßt die Dinge nicht; es wirkt verklebt, während die Dinge ohne Übersetzung in Erscheinung treten. Allein, viele dieser Bilder hat Courbets Freund und Schüler Cherubino Pata angefertigt, weil Courbet, um die Summe zu bezahlen, zu der er verurteilt war, den Ausstoß steigern mußte. Daß andrerseits Landschaften oder die Hirsche in unseren Tagen als Kaufhausmalerei auftauchen, ist die Folge eines merkantilen Verschleißes, der Klees Zeichen auf Krawatten oder Pollocks Schlieren auf Tapeten überträgt. Dagegen hat sich Picasso einmal, als er eine Kunstgewerbeausstellung besuchen und sich dort als Anreger feiern lassen sollte, mit den Worten gewehrt, man mache ihm damit keine Freude: »Man denke sich Michelangelo, wie er zu Freunden geht, um bei ihnen zu essen und von ihnen mit dem Satz empfangen wird: ›Das ist ein hübsches Renaissance-Büffet, das von ihrem ›Moses‹ inspiriert ist.‹«

12 Walter Benjamin, *Pariser Brief II*, in: *Gesammelte Schriften*, a.a.O., Band 9, S. 503.

Anmerkungen zu: Das gegenständliche Jawort

1 Paul Klee, *Tagebücher 1898–1919*, Köln 1957, S. 69.

2 Will Grohmann, *Paul Klee*, Stuttgart 1954, S. 360.

3 Werner Haftmann, *Paul Klee. Wege bildnerischen Denkens*, München 1950, S. 156.

4 Rudolf Arnheim, *Klee für Kinder*, in: *Die Weltbühne*, Berlin, 28. Januar 1930, S. 171.

5 Paul Klee, *Schöpferische Konfession*, Beitrag im Sammelband der Reihe *Tribüne der Kunst und Zeit*, hrsg. von Kasimir Edschmid, Berlin 1920, hier zitiert nach Paul Klee, *Das bildnerische Denken. Schriften zur Form- und Gestaltungslehre*, hrsg. von Jürg Spiller, Stuttgart/Basel 1956, S. 76. Dieser und der folgende, ebenso von Spiller herausgegebene und bearbeitete Band, 1970 unter dem Titel *Unendliche Naturgeschichte. Prinzipielle Ordnung der bildnerischen Mittel, verbunden mit Naturstudium und konstruktive Kompositionswege* erschienen, versammeln Klees pädagogische und theoretische Überlegungen.

6 Klee, *Das bildnerische Denken*, a.a.O., S. 89.

7 Klee, *Das bildnerische Denken*, a.a.O., S. 89/90.

8 Wilhelm Hausenstein, *Kairuan oder die Geschichte vom Maler Klee*, München 1921, S. 48.

Nachweise

Ein Herkules ohne Aufgaben. 1977 als Radioessay für den Norddeutschen und den Süddeutschen Rundfunk geschrieben. Gedruckt in *protokolle*, Band 3, Jahrgang 1979, Wien-München.

Die sprachlosen Propheten. 1972 als Radioessay für den Norddeutschen Rundfunk geschrieben. Gedruckt in *Frankfurter Hefte*, No. 1, Januar 1975 und in *Tendenzen*, No. 112 und 113, März–April und Mai–Juni 1977.

Der ungläubige Realist. 1972 als Radioessay für den Norddeutschen Rundfunk geschrieben. Gedruckt in *Frankfurter Hefte*, No. 11, November 1978.

Dalí im Gegenlicht. 1975 als Radioessay für den Norddeutschen Rundfunk geschrieben. Ungedruckt und überarbeitet.

Von der Häßlichkeit der Deutschen. 1973 als Radioessay für den Norddeutschen und Süddeutschen Rundfunk geschrieben. Teile der vorliegenden Fassung erschienen in der *Süddeutschen Zeitung* vom 16./17. Juni 1973 und in *Die Zeit* vom 21. März 1980.

Rodin oder die Hand Gottes. In *Süddeutsche Zeitung* vom 19. Februar 1970.

Magritte für Laien. 1978 als Radiofeature für den Norddeutschen und Süddeutschen Rundfunk geschrieben. Ungedruckt und überarbeitet.

Grandville und Posada. In *Die Zeit* vom 15. Februar 1980. Erweitert.

Kein Lösegeld für Lichtenstein. 1968 geschrieben. Ungedruckt.

Ein Genie ohne Talent. In *Die Zeit* vom 9. November 1979.

Der Meistermaler. 1978 als Radiofeature für den Norddeutschen, Süddeutschen und Westdeutschen Rundfunk geschrieben. Ungedruckt und umgearbeitet.

Das gegenständliche Jawort. 1979 als Radioessay zu Klees 100. Geburtstag für den Norddeutschen Rundfunk geschrieben. Ungedruckt und überarbeitet.

Verzeichnis der Abbildungen

edition suhrkamp. Neue Folge